劉福春・李怡 主編

民國文學珍稀文獻集成

第一輯

新詩舊集影印叢編　第12冊

【郭沫若卷】

戰聲

戰時出版社 1938 年 1 月版

郭沫若 著

蜩螗集

上海：群益出版社 1948 年 9 月版

郭沫若 著

花木蘭文化出版社

國家圖書館出版品預行編目資料

戰聲／蜩螗集／郭沫若 著 — 初版 — 新北市：花木蘭文化出版社，2016
〔民 105〕
80 面／200 面；19 ×26 公分
(民國文學珍稀文獻集成・第一輯・新詩舊集影印叢編 第 12 冊)
ISBN：978-986-404-622-5（套書精裝）
831.8 105002931

ISBN-978-986-404-622-5

民國文學珍稀文獻集成・第一輯・新詩舊集影印叢編（1-50 冊）
第 12 冊

戰聲
蜩螗集

著　者 郭沫若
主　編 劉福春、李怡
企　劃 首都師範大學中國詩歌研究中心
北京師範大學民國歷史文化與文學研究中心
（臺灣）政治大學民國歷史文化與文學研究中心
總 編 輯 杜潔祥
副總編輯 楊嘉樂
編　輯 許郁翎
出　版 花木蘭文化出版社
社　長 高小娟
聯絡地址 235 新北市中和區中安街七二號十三樓
電話：02-2923-1455／傳眞：02-2923-1452
網　址 http://www.huamulan.tw 信箱 hml 810518@gmail.com
印　刷 普羅文化出版廣告事業
初　版 2016 年 4 月
定　價 第一輯 1-50 冊（精裝）新台幣 120,000 元

戰聲

郭沫若 著

戰時出版社一九三八年一月初版。原書四十八開。

郭沫若作
戰聲

目次

附錄

們

們！
中國話中有着你的存在，
我和曾見了眞理一樣高興。
你的出現不知道是從什麽時候起頭，
你在文言中是遭了排斥的，
文人的筆下跋扈着「等」，「輩」，「之類」，「之流」。
大衆在口頭雖然也很和你親近，
但於你的存在卻沒感覺着啓迪的淸新。

我自已的悟性也未免痲木不仁；
我和你相熱了四十多年，
眞正的相識才開始在一九三六年「九一八」的今天！

們喲，我親愛的們！
你是何等堅實的集體力量的象徵，
你的宏朗的聲音之收鼻而又閉脣。
你鼓盪着無限的潛沉的力量，
像灼熱的融崖在我的胸中將要爆噴。
你現今已有一套西式的新裝，

2

這新裝於你眞是百波羅地合身。
哦！
Mn—
Mn丶
Mn～
Mn—！

你可不是MARX和LENIN的合體？
你可不是MICHELANGELO與BEETHOVEN的和親？
你是「阿爾法」和「哦美伽」，

3

你是序言與結論。
你在感性上的荷電，智性上的射能，
是多麼豐富而有力的喲，
你這簡單的超魔術的——咒文——

當我感覺着孤獨的時候，
我只要把你，和我或我的親近者，結在一道；
在我的腦中迴環得這樣的幾聲：
我們，咱們弟兄們，同志們，年靑的朋友們……
我便勇氣百倍，肇陣可把千人橫掃。

當我感覺着敵愾的時候，
一切憎恨者的存在湧到我的眼前，
走狗，漢奸，劊子手，喪心病狂的文化摧殘者、和平破壞者……
這些都聯結成一道戰綫；
我悲憤着你這時是受了這些儕輩的強姦。
這悲憤的力，你給與了我，
是使我加倍地努力的源泉。

哦，們吶，我親愛的們！
中國話中有着你的存在，

我眞眞是和曾見了眞理一樣的高興。
我要永遠和你結合着，融化着，
不讓我這個我可有單獨的一天。
我也希望着那些可憎恨的存在，
不久便要失掉那強迫你的機緣。

（一九三六年九月十八日作）

詩歌國防

一

詩歌本來是藝術的精華，
他有音樂的渾含，造形美術的刻畫，
任何藝術的成分，——他都可以包括它。

小說和戲劇中如沒有詩，
等於是啤酒和荷蘭水走掉了氣，
等於是沒有靈魂的木乃伊。

然而詩詞也自有他的靈魂，
那便是語言的節奏，情緒的播音，
節奏可有緩有急，無節奏便無心聲。

節奏的成分歸根只有兩樣，
或是先揚而後抑，或是先抑而後揚，
前者使人消沉，後者使人激昂。

譬如催睡的兒歌，古寺的暮鐘，

都是發聲揚而後聲幽抑朦朧，
把人引到的境地，是睡眠，是渺茫，是空。

宗教的頌歌愛採取這種音調，
因爲它能幫助雅片的痲醉，幫助教條，
正義如入了睡眠，吸血者自然更好。

但我們所歡迎的甯是澎湃的海潮，
它從海心捲來，聲音是由低而高而更高，
奮迅地打上岸頭、令你腔鳴血跳。

二

我們的民族需要的是覺醒不是睡眠，
催眠歌的音調應該暫時放在一邊，
讓它在幼兒的搖籃旁陪着母親做針綫。

我們的民族在異族統制下睡了三百年，
睡眠的重量依然還沒有脫盡我們的眼，
我們的身上又受遍了帝國主義的萬箭。

10

多打幾下嗎啡針也可暫時安然，
然而民族的命脈將要永遠淪陷，
滅種滅族將如美洲的馬雅人種一般。

馬雅人在美洲曾經有高度的文明，
不知是幾時殲滅得毫無踪影，
只在此殘碑斷碣上剩着不可解的奇文。

我們這民族如是比馬雅人還要劣等，
那就讓他死盡也無多大的重輕，

11

然而這民族卻是世界上的選民。

這民族已有四千年的文明的歷史，
他能創造文明不亞於希臘與埃及，
只可惜最後的封建階段未能揚棄。

這揚棄的拖延招致了他的落後，
卅年來他已逐漸覺醒在驅逐他的寇讎，
如今他要在最前綫和猛惡的帝國主義決鬥。

12

三

帝國主義在和我們爭賭生死存亡，
我們的復興是帝國主義的送葬，
帝國主義怕的是四萬萬人的全體武裝。

帝國主義在這兒運用他的陰謀，
他於化學兵器之外還使用着內攻，
他由民族中造出漢奸來發生出魚爛作用。

這作用有種種不同的步趨，

或用大刀斫殺，或用白丸麻醉，
復古，存文，「王道樂土」，都是這一類。

我們就這樣膏血被人搾取，肝肺被人挖，
四肢五體日日在被人凌遲碎刮，
最後的裁判已經逼在了我們的眼下。

我們要鼓動起民族解放的怒潮，
我們要吹奏起誅鋤漢奸的軍號，
我們要把全民衆喚到國防前綫把帝國主義打倒。

14

我們的國防同時是對於文化的保衛，
我們要在萬刼不返的破滅之前救起人類，
我們民族的復興是世界文化向更高一個階段的突飛。

現在是民族復興的時候，也是詩歌復興的時候，
復興起這藝術的靈魂使小說和戲劇中都要有酒，
喚醒起全民衆趨向最後的決鬥！趨向最後的決鬥！

（一九三六年十一月十一日作）

15

瘋狗禮讚

有人說我的詩是瘋狗，
我覺得這眞是知己之言；
因爲一切的詩比如是狗，
我的自然也具有狗臉。

有的狗是特里爾變種，
抱在太太懷裏小巧玲瓏。
投個餑餑教它打個親親，

16

你教它什麼它都能懂。

有的是都伯曼芬顯爾，
它是專門養來以備軍用。
最無情的是那兇猛的牙，
可以咬破戰士的喉嚨。

有的是細腰的格勒洪，
呈示着希臘的雕刻風貌。
它足長身輕最善於馳騁，

17

博徒們使用它來賽跑。

此外的種類自然繁多，
或以獵或以牧或以守家，
或傳書或購物或演猴戲，
或在實驗室過送生涯。

然而在它們有個通性，
便是忠誠於自己的主人，
而且是善於嫌貧而媚富，

18

更高興有個骨頭來啃。

獨於是瘋了的狗東西，
它是解放了一切的狗性，
它的眼中不再有何貴賤，
不再有何奴才與主人。

主人不比奴才多隻脚，
王姬不比丐女多隻眼睛。
它不稀罕你的任何骨頭，

不稀罕你的任何餅餅。

它只是埋着頭，挾着尾，
拖着血樣的鮮紅的舌頭，
它不左顧不右盼而只是
一直綫的地向前竄走。

雖然死是逼在了面前，
它向自己的狗性復了仇。
任何人要擋着它的行程，

它都要把他死咬一口。

它把恐水病傳到你身，
不問是人是狗都是一樣，
你終會跟着它發起瘋來，
把自己的奴才性放解。

（一九三六年十一月十一日作）

紀念高爾基

一

今天，太陽要皆既蝕，
今晨在絲雨中接到了高爾基的死耗。
我們的革命文學之父高爾基，
昨天十八日午後在莫斯科長逝了。
太陽之所以罩上黑紗，我才知道，
是要代表着全宇宙爲我們的巨人吊孝。

（六月十九日作）

22

二

太陽早又把黑紗去了，
依然在向着我們微笑。
我在他那普被的不息的和惠的光輝中，
又感覺着了高爾基的永遠不滅的容貌。
我們是以文字爲鐵槌，以言語爲鐮刀，
我們應該學習着高爾基，繼承着高爾基，
用我們的血，力，生命，來繼續鑄造。
「把你所做就的靴子，椅子，書本子，
（不要造成偶像）——這是很好的（教條）——」

朋友，我們要遵守着這個（教條），
把高爾基六十八年的工程承繼起來，
這才是紀念我們的巨人唯一的正道。

（六月二十二日夜作）

24

給CF

——「豕蹄」獻詩——

這半打豕蹄
獻給一匹螞蟻

在好些勇士
正熱心地
吶喊而又搖旗
把他們自己

塑成爲雪維漢的
春季

那匹螞蟻
和着一大羣螞蟻
在綿邈的沙漠
無聲無息
砌疊
AIPOTU

（一九三六年五月二十三日作）

悼聶耳

雪萊昔溺死於南歐，
聶耳今溺死於東島；
同一是民衆的天才，
讓我輩在天涯同弔！

大衆都愛你的新聲，
大衆正賴你去喚醒；
問海神你如何不敬，

爲我輩奪去了斯人！

轟耳啊我們的樂手，
你永在大衆中高奏；
我們在戰取着明天，
作爲你音樂的報酬！

給澎澎

澎澎，你這一九三六年的詩草，
我已經一口氣替你唸盡。
你這是四萬萬五千萬人的心聲，
是一九三六年的正確的指令。
你毫無修飾，純任赤誠，
但你的韻律却有鋼鐵的錚錚。
我知道你做過勤務卒，當過兵，
打過仗，殺過敵，踏破過南嶺和長城；

29

你的智識慫恿把你適來日本，
你又做過傭工，種過地，桃過糞，
而今在幫助朋友做着配報的工程。
你是，我們東方的惠特曼，
你的人便是詩，詩便是人。
要有你這樣堅忍不拔的精神，
才能有這樣眞切動人的詩韻。
我的心在跳躍，血在沸騰；
我感受着了十年以來所未有的歡欣，
就如駕了一架飛機，

30

我衝破萬層的重圍已向戰綫前進。
你努力吧，努力吧，努力吧，
東方的惠特曼喲，澎湃，
普羅列塔的詩的殿堂將由你的手中建起，
你努力吧，努力吧，努力吧，澎湃。

（一九三六年三月九日作）

前奏曲

全民抗戰的炮聲響了，
我們要放聲高歌，
我們的歌聲要高過
敵人射出的高射炮。

最後的勝利是屬於我們，
我們再沒有顧慮，再沒有逡巡，
要在飛機炸彈之下

32

爭取民族獨立的光榮，
全民抗戰的炮聲響了，
我們要放聲高歌，
我們的歌聲要高過
敵人射出的高射炮。

中國婦女抗敵歌

上前綫，
上前綫，
帶着我們的針，
帶着我們的綫，
爲前敵將士、
縫衣千萬件。
使他們無勞後顧，
把戰壕化成樂園。

34

站起來，
站起來，
戰到最後的一天，
守到最後的一天！

上前綫，
上前綫，
我們也能提鎗，
我們也能仗劍。
困獸猶能鬥，

何況是人面。
中華民族的死生，
担負在我們雙肩。
站起來，
站起來，
戰到最後的一天，
守到最後的一天！

上前綫，
上前綫，

36

已到生死關頭，
已到存亡界綫，
玉碎未必碎，
瓦全何嘗全？
祖國縱使成焦土，
留得精神能再建。
站起來，
站起來，
戰到最後的一天，
守到最後的一天！

37

民族復興的喜炮

上海的空中又聽到了大炮的轟鳴，
這是喜炮，慶祝我們民族的復興。
這表示着了我們全民抗戰的決心，
同時也預告着了我們民族的戰勝，
我們到這最後關頭只要有這決心，
最後的勝利終歸是屬於我們。
我們的民族本來是酷愛和平，
我們的民族本來是並不好勇鬥很，

38

然而我們是被逼得沒有生路可尋，
我們是被逼得忍無可忍，
我們是被逼得只能在死裏求生，
在飛機大炮的轟炸之下和敵人拼命。
我們明知我們的武器不如敵人，
我們明知我們的準備並不齊整，
然而我們只能死裏求生，
要用我們的鮮血爭回我們獨立的光榮。
我們民衆是衆志成城，
我們的將士是一德一心，

這民意，這士氣，是我們的劍，我們的盾，
這爲敵人的飛機大炮所炸毀不盡。
我們不怕綠氣，不怕細菌，
我們四萬萬五千萬人的生命，
是國亡與亡，國存與存。
敵人能殲滅我們，我們決不相信。
上海的空中又聽到了大炮轟鳴，
這是喜炮，是慶祝我們民族的復興。

（八月二十日識）

40

抗戰頌

聽見上海空中的炮聲，
我自己祇有歡喜。
我覺得這是我們民族復興的喜炮，
我們民族有了決心要抗敵到底。

我們的武器或許不如敵人，
但我們的民氣和士氣要超過敵人無數倍，
我們並不怕綠氣，不怕細菌，

我們要以肉彈來把敵人摧毀。

同胞們，我們大家振作起來，
一點也不要失望，不要驚惶，
我們要抗戰十年，八年，
抗戰到日本帝國主義的滅亡。

最後的勝利是屬於我們的，
同胞們，我們放聲高呼：
高呼我們中華民族的復興，

高呼我們民族鬥士的英武。

（八月二十一日晨）

戰聲

戰聲緊張時大家都覺得快心，
戰聲弛緩時大家都覺得消沈。

戰聲的一弛一張關於民族的運命，
我們到底是要作奴隸，還是依然主人？

站起來呵，沒再存萬分之一的徼倖，
委曲求全的苟活決不是眞正的生。

44

追求和平，本來是我們民族的天性，
然而和平的母體呢，朋友，却是戰聲。

（八月二十日晨）

血肉的長城

愛國是國民人人所應有的責任，
人人都應該竭盡自己的精誠。
更何况國家臨到了危急存亡時分。

我們的國家目前遇着了横暴的強寇，
接連地吞蝕了我們的冀北，熱河，滿洲，
我們不把全部的失地收回，誓不罷手。

46

有人嘲笑我們是以戎克和鐵艦敵對，
然而我們的戎克是充滿着士氣魚雷，
我們要把敵人的艦隊全盤炸毀。

有人患了恐日病，以爲日寇太強，
我們的軍備無論如何是比它不上，
然而淞滬抗戰的結果請看怎樣？

我們並不怯懦，也並不想驕矜，
然而我們相信，我們終要戰勝敵人，

47

我們要以血以肉新築一座萬里長城！

（八月二十二夜）

48

「鐵的處女」

中世紀的歐洲有過「鐵的處女」，
她本來是一種極殘酷的刑具。
外貌呈着個聖母樣的姑娘，
內容其實就只是一種的「釘箱」。

聖母樣的姑娘是釘那箱的門，
門背後當心處有一顆長釘，
行刑者讓你進箱把門掩上，

那顆長釘便刺穿你的胸膛。

日本人在滿洲又有種新的發明，
在一個圓箱的內壁全錠有尖釘，
把人赤身地裝進箱封閉兩端，
放在路頭讓行路者任意推轉。

這刑具雖然沒有聖母般的慈容，
但充分地具備着「處女」樣的鐵胸。
據說日本人是命名之為「釘箱」，

50

日本人喲，你們眞正是善於摹倣。

（八月卅一日）

只有靠着實驗

有一天晚上我在江海關講演，
有位朋友質問到抗戰的期間，
他說，有人說，我們只須抗戰半年，
日本的經濟機構便要全盤破産。
這個估計是否正確的答案？

我的回答覺得是十分高妙，
因爲是信口說出而說得恰好。

52

我說，我是科學家，不會預言，
或許半年不夠，或許不夠半年，
要想得到結論，只有靠着實驗。

（九月四日）

相見不遠

「九一八」已經滿了六週年，
我們把這血的記憶重溫一遍。
但今年的重憶卻比往年不同，
因爲是已經發動了全面抗戰。

我們要浴血抗戰收復幽燕，
如不痛飲黃龍，便身入九泉。
遼瀋的同胞喲，無論生者死者，

54

我們相見的時期已經不遠。

（九月四日）

所應當關心的

前綫的旅進旅退是戰略上所必有的事情，
在未參加作戰的羣衆倒可以不必過於關心，
所應當關心的是抗戰到底的決心究竟有沒有十成。
據我所知道，我們軍事上的領袖和一切的將領，
他們的持久抗戰的決心都十二萬分地堅定，
他們是要「屢敗屢戰」剩到最後的一個士兵，
剩到最後的一珠血都要爭取民族解放的光榮。
我們有這樣的領袖，這樣的將領，這樣的士兵，

56

我們沒愁我們的戰不能持久，不能制勝，
問題倒應該是懸在做後衛工作的我們，
我們是前敵的後衛，前敵的補充兵，
我們有擁護政府抗戰到底的責任。
我們應該要拿出自己的錢，力，和學問，
完成我們這次的神聖的立體的全面戰爭，
我們不僅是口頭說說，而且要切實地實行。
說而不行，那欺騙等於是漢奸的行徑，
行而不說，那誠摯纔可以算得眞正的國民。
我們要苦行苦幹，能夠忍受一切的犧牲，

能那樣，最後的勝利一定是屬於我們●

（九月十七日）

人類進化的驛程

畫一個十字，再畫一個十字，
今天是我們中華民族積極前進的象徵。
我們已經畫到了二十六個雙十，
我們的積極前進只有永遠地加增。
我們只要積極奮勉，永遠前進，
我們的國族決不會受異族的憑陵。
今年的今日我們正發動神聖的抗敵戰爭，
明年或後年的今日必已把倭寇蕩平。

畫一個十字，再畫一個十字，
這約束，我可以用血液和生命來保證。

畫一個十字，再畫一個十字，
從今天起我們要加緊檢閱自己的行徑。
我們全國上下是否眞正地一德一心？
在下的是否有擁護政府抗戰到底的熱誠，
在上的是否大公無私不怕我們老百姓？
我們的軍事是否已經部署得嚴整公平，
我們的政治是否已經和軍事行動扣緊？

60

這是爲我們全國族爭生死存亡的事情，
畫一個十字，再畫一個十字，
精誠團結的神聖誓約要虔誠地稟遵。

畫一個十字，再畫一個十字，
漢奸遍地使我們前敵將士寒心。
但這樣漢奸之多正是一個教訓，
是說制裁漢奸的民主機構掃蕩無存。
工農生活的最低保障化爲了泡影，
聰明的資產家們也委實過於聰明，

乘着杭戰的開始便晉藏資本，
成千成萬的失業者無人過問。
畫一個十字，再畫一個十字，
我們誠懇地希望着大開民衆解放之門。

畫一個十字，再畫一個十字，
（眼淚已經蒙着了我自己的眼睛）。
我們固須得少樹仇敵，多求友人，
然而友人之中也自有親疏的階等。
五萬個口惠而實不至的泛交，

62

祇不過一個同生死共患難的知心。
這樣金石之交我們是否已經締訂？
我們不好太愛脂粉，只想做八面美人。
畫一個十字，再畫一個十字，
我們的國交應該有獨立自主的精神。

畫一個十字畫，再畫一個十字，
今天是我們中華民族積極前進的象徵，
我們要把一切猜疑，欺詐，萎靡，逡巡，
怕死，愛錢的惡德，私心，通同付諸火燼。

人生七十古來稀，但國族是有永遠的生命，
億萬斯年，我們要求永遠畫着十字進行。
我們要保衛祖國並保衛世界的和平，
我們要光明磊落地站在文化的前頭導引。
畫一個十字，再畫一個十字，
我們要使這個紀念成爲人類進化的驛程。
（十月五日）

64

唯最怯懦者爲最殘忍

「我們的飛機來了！」
朋友叫我到涼臺上去看，
我心裏生出了無限的喜歡：
因爲我剛才看見有三隻敵機
在低空飛翔得眞是悠然，
漫無目標地隨便投下炸彈。
炸彈所投下的總是中國地方，
所炸中的總是中國的人民，

敵人用不著再費偵察的苦心。
絲毫的危險也輪不及他們，
他們大可以顯出「英雄」的本領。
好在「英雄」的身上有的是千人針，
更有觀音符咒也可以顯靈，
我們倒因而得到了一個金言：
世間上最怯懦者爲最殘忍。
高射炮的聲音響徹了雲霄，
的確是我們的飛機巳經飛到。
我看了一下我自己的手錶：

66

時候是午後三點半不到。
三隻敵機不知逃向何處去了。

（十月五日）

題廖仲愷先生遺容

一九三七年八月一日，余單身由日本回國後之第六日也。夜深獨坐，瞻仰　廖仲愷先生遺容，不覺淚下，爰草此數語以志感觸。

這樣精銳，沉毅，英敏的遺容，
嗚呼仲愷先生，你誠然是精神不死。
你所手定的三大政策：聯俄，容共，扶助農工，
這都是中國革命幷世界革命的根底。
奈何慘遭毒彈使我們早失指針，
奈何隨先生之終而三策亦殉葬矣。

68

如今狂寇日逼，平津陷沒，人民塗炭。
敬對先生遺容自不覺淚之盈眥。
嗚呼先生，你是忠于革命者的典型，
我們要追蹤你的血跡前仆而後起。

（八月一日夜）

69

歸國雜吟

一

曾傳花信有鳥忘喬遷緩急勞許酬安危負韓
旋記前期來代翹首望堯天此意輕鷹雞聲
雜感可憐

二

又前投筆請纓時當婦姻離亂羈緣去國十年餘
淚血盈、舟三宿見樣樣欣將殘骨埋詩夏哭吐

惟餘晚歲詩四萬，萬人高唱同心曲，盡一戎衣

三

此來拼得全家哭，今往仍得遍地哀。四十
六年餘一死，鴻毛泰岱早安排。

四

十年退伍一殘兵，今日還來入陸營。北地已開
新鬼哭，南衛猶醒舊家聲。金臺不得空
憑歷險，故國蒼茫在眼平。

挈著葉家

何受絲毫之嗟爾家偏泯

五

遊敦煌蘆已清況為荒何須計謝還我家乃
恬陸沐寶弓尉之贏得沒肝心

六

雷霆萬鈞遂暗鐵意從沖庭蓋搖風綠塚
花映日紅江山無限好我為萬夫雄國運昇
恒隨清明在此間

七

炸裂橫空走迅雷春申江上血風腥去晨敵
自向天祝殘錯砲灰眼如猩
還同我儕隨與戲高歌作箭射蒼天
吾輩都有嗜痂之癖美其付之
廿六年十月廿四日晨由前線訪伯陵
還來興致尚佳

高蘭

一九三八年一月初版

戰聲

實售二角

著者　郭沫若

出版者　戰時出版社

經售處　廣州永漢北路
北新書局駐粵辦事處

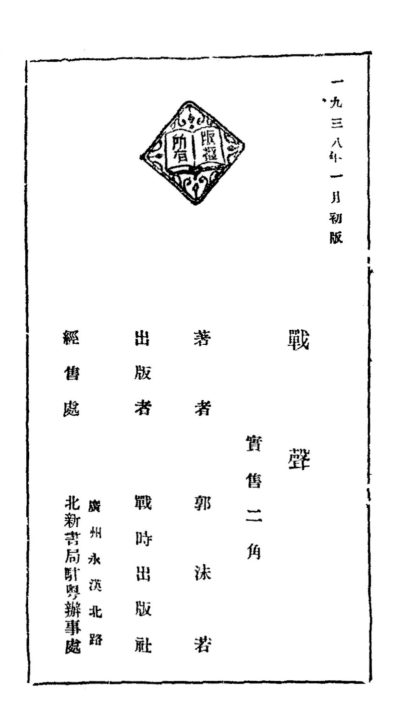

蜩螗集

郭沫若 著

群益出版社（上海）一九四八年九月出版。原書三十二開。

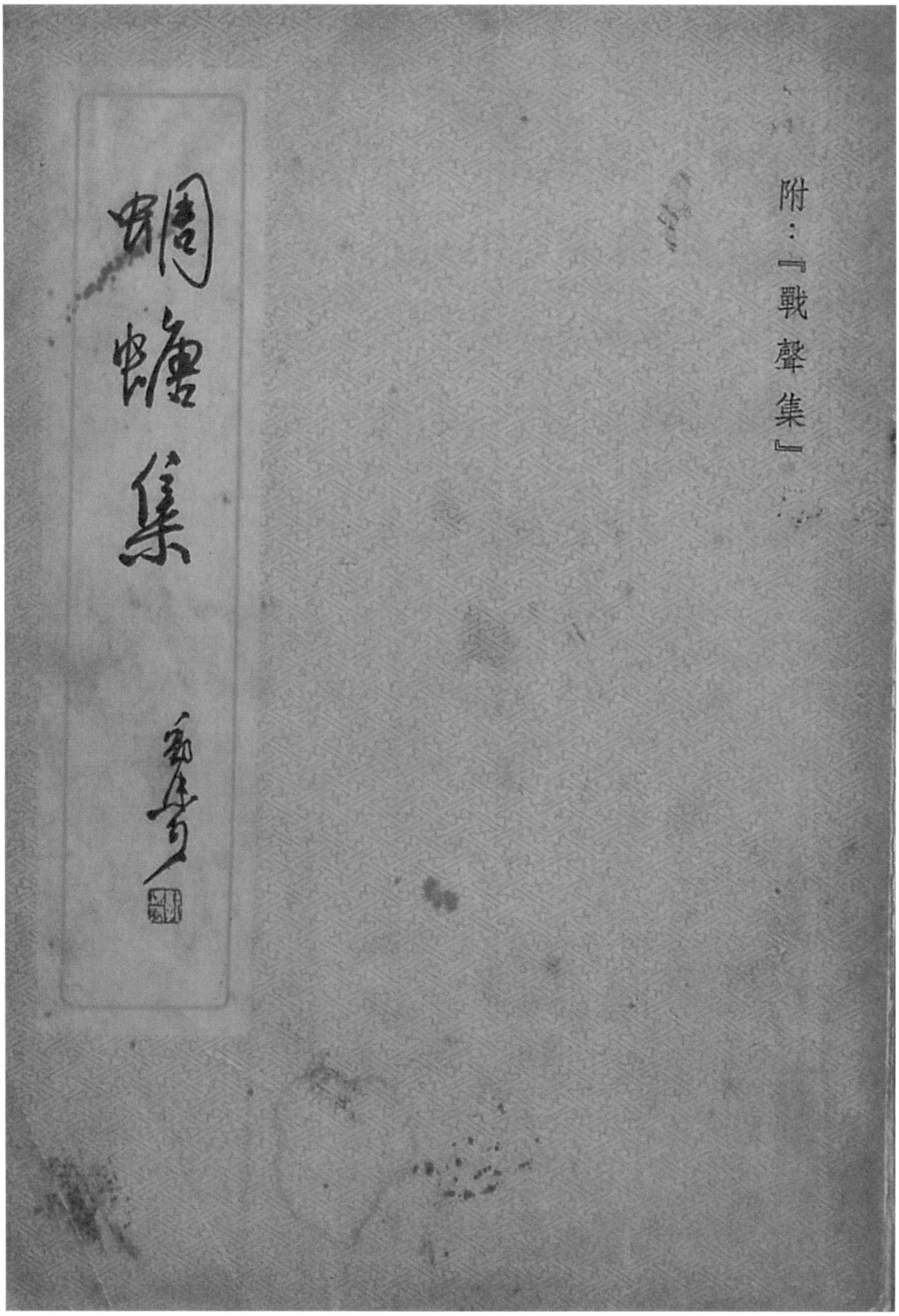
蜩螗集
附：『戰聲集』

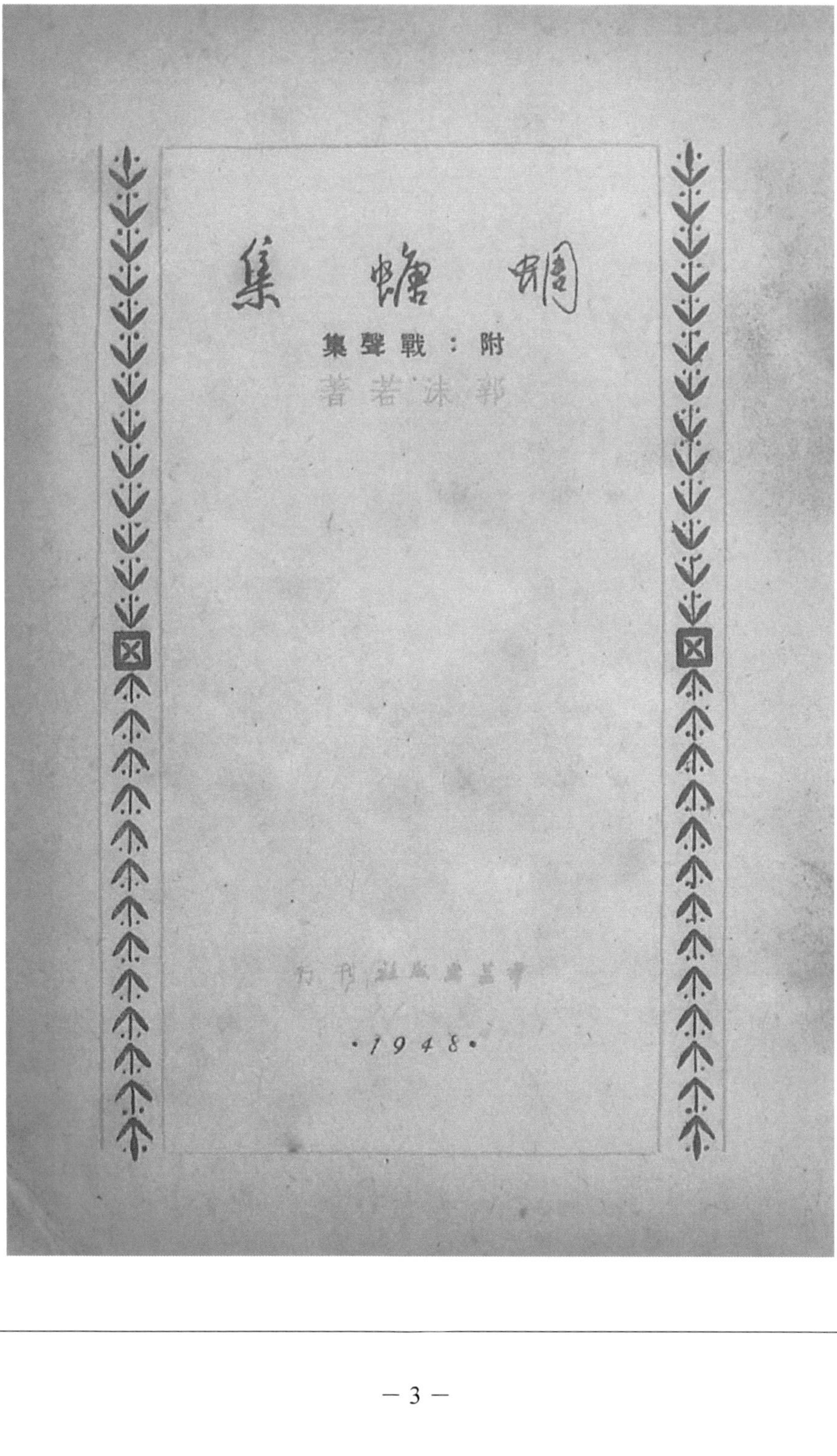

蜩螗集

附：戰聲集

郭沫若著

羣益出版社印行

·1948·

一九三七年十月十四日
作者歸國後詩稿

歸國雜吟

一

廿四傳花信，有鳥志喬遷，緩急勞斟酌，安危費斡旋，
托身期泰岱，翹首望堯天，此意輕鷹鵠，羣
雛剩可憐。

二

又當投筆請纓時，別婦拋雛斷藕絲，去國十年餘
淚血，登舟三宿見旌旗，欣將殘骨埋諸夏，哭吐

悵惘殷勤四壁，人言端為同心周無一我合

三

此來攜得全家哭，今往它得，安地哀四十

以筆餘，一飛鴻已泰然早成批

四

十年追憶一腔兵，今日遠來入陸營，北地已同

親思興亂衛精神，酣舊奮發金臺六街寬

與廬膝訪國蒼茫立歷年 翠蓄韓家

何處結[illegible]峰下[illegible]家[illegible]泯

五

幽致[illegible]趣已消沉 偏安何須說淺深 [illegible]

悔從林[illegible][illegible][illegible]處得[illegible]心

六

雷霆霹靂遂暗[illegible][illegible]沖庭[illegible]權風[illegible][illegible]

花映日紅 江山無限好 我為萬夫雄[illegible][illegible][illegible]

[illegible][illegible][illegible][illegible]在此[illegible]

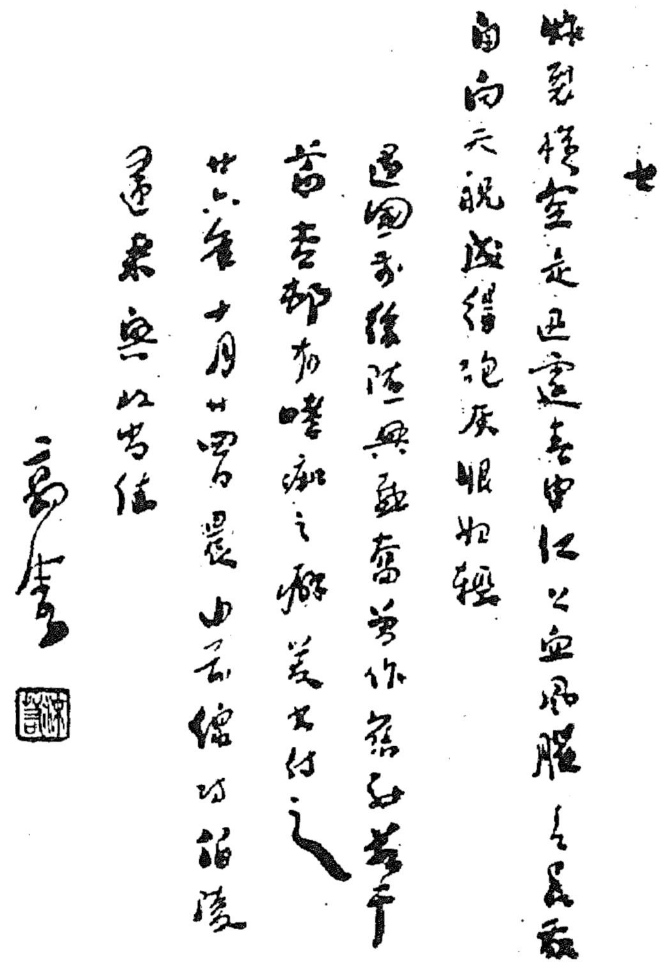

一九四七年十一月十三日

作者離漏詩稿

海上看日出

倚闌夜待明，曠野飛傳赤羽聲。
血流雲路連海岱，光濤激盪地天平。

再用魯迅韻書懷

一九四七年十一月十三日，離漏之前一夕。

成仁有志此其時，致死猶欣鬢未絲。
五十六年餘骸骨，八千里路赴雲旗。
驅動土地翻身日，創造工農革命詩。
北極不移先烈在，長風浩蕩送征衣。

PATEE 24×25=600

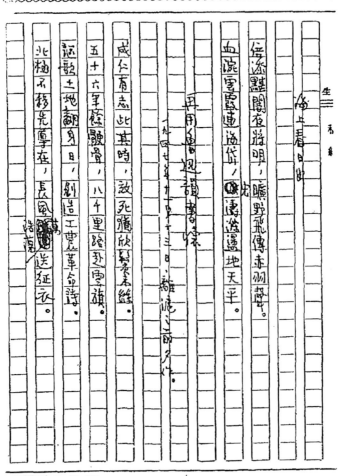

序

這兒所收集的一些詩文是十年間的零碎作品。『戰聲集』寫於抗戰初期，曾經有單行本問世。『蜩螗集』大率寫於抗戰後期，我自己並沒有留稿，是立群從報章雜誌上替我剪存下來的。剪漏了的當然也還有，但再要收集，恐怕已經不容易了。從我的日記裏面倒還可以查出一部分，特別是關於舊體的詩詞，但我現在沒有心腸攪這樣的事。

這些詩特別是『蜩螗集』，可以和『沸羹集』、『天地玄黃』參看。作爲詩並沒有什麽價值，權且作爲不完整的時代紀錄而已。

一九四八年三月十六日

— I —

蜩螗集

— 2 —

— 3 —

春禮勞軍歌

春天來了，春天來了，萬象都呈着新的氣運。神聖的抗戰也現出了光明的前程，湘北大捷之後接着又是粵北連勝，前方和後方的民衆都鼓舞歡欣，在這抗戰期中竟享受着生活的安寧，這是誰個給予我們的？

同胞們我們知道，同胞們我們知道，是獻身衛國的將士和士兵，是獻身衛國的將士和士兵。

春天來了，春天來了，萬象都呈着新的氣運，我們要對將士們表示我們的謝忱，不問是短褲、襯衫、鞋襪、毛巾、或是其它的用品、藥品，和耐久的食品，或是淺顯通

— 1 —

— 2 —

俗的圖書和代金，要多多送往前綫和傷兵醫院，多多送與壯丁、新兵、軍屬的家庭，我們藉此表示預祝抗戰勝利，我們藉此表示抗戰到底的決心。

春天來了，春天來了，萬象都呈着新的氣運，加緊春禮勞軍吧，加緊春禮勞軍，多送一份春禮，等於多送一粒子彈，多送一份春禮，等於多殺一個敵人，鼓舞戰鬥的勇氣，增進勝利的信心，爭取國家民族的獨立生存自由平等，勝利的光耀已在眼前照臨，同胞們，踴躍贈送春禮，同胞們踴躍贈送春禮，勞軍勞軍勞軍，加緊加緊加緊！

陣亡及殉職政工人員輓歌

不能成功便當成仁，爲教以言不如以身，軍隊負救國的使命，政工是軍隊的靈魂，同仇敵愾，爲國犧牲，我輩自應加人一等。模範已由兄等造成，生而爲英，死無遺恨。精神永遠永遠不泯。瞻仰着壯烈的英靈，肩担着遺留的責任，踏着先烈的血跡前進，踏着先烈的血跡前進；前——進！前——進！前——進！再接再厲一德一心，抗戰——必——勝，建——國必——成，抗戰——必——勝，建國——必——成！

— 4 —

迎『西北攝影隊』凱旋

同志們：

我歡送了你們遠征，

現在又歡迎你們凱旋。

你們勇敢的行動是一條鐵鞭：

鞭策了你們自己，

鞭策了我們自己，

鞭策了我們同胞兄弟，

鞭策了我這匹老馬，

不敢在道旁流連！

我自己眞是歡喜，
歡喜得要流眼淚！
我很想抱着你們跳舞，
但我是不會跳舞；
我很想抱着你們 kiss，
但我是不便 kiss。
九個半月之中你們產生了肥胖的一個孩子，
但我依然是一位 old miss。
但我仍是歡喜，
歡喜得要流眼淚！

— 5 —

一〇一

我在歡喜中與你們化為一體：
你們的孩子就是我的孩子，
就是我們四萬萬五千萬人最可愛的孩子。

你們已寫就了藝術史中最光輝的一頁，
還希望寫出最最光輝的一百頁，一千頁，一萬頁，
就像大洋中的萬頃波濤，
一波未平，一波又起。
以藝術的力量克服民族的危機，
以『塞上風雲』掃蕩後方的烏煙瘴氣，
戰友們！
我們唱着勝利的凱歌，再接再厲！再接再厲！

罪惡的金字塔

心都跛了脚——
你們知道嗎？——
祇有憤怒，沒有悲哀，
祇有火，沒有水。
連長江和嘉陵江都變成了火的洪流，
這火——
難道不會燒毀那罪惡砌成的金字塔麼？
霧期早過了。

— 8 —

是的，炎熱的太陽在山城上燃燒，
水成岩都鼓爆着眼睛，
在做着白灼的夢，
它在回想着那無數億萬年前的海洋吧？

然而，依然是千層萬層的霧呀，
濃重得令人不能透息。
我是親眼看見的，
霧從千萬個孔穴中湧出，
更有千萬雙黑色的手
掩蓋着自己的眼睛。

朦朧嗎？
不，分明是灼熱的白晝。
那金字塔，罪惡砌成的，
顯現得十分清晰。

（一九四〇年六月十七日）

這首詩是爲大隧道慘禍而寫的。日寇飛機僅三架，夜襲重慶，在大隧道中悶死了萬人以上。當局只報道爲三百餘人。

— IO —

謝『園地』

多謝你，你把『園地』開闢了出來，讓我暢遊了一番，
從春到秋，看見青松，翠榆，月季，芭蕉，紅千紫萬。
在這經營中看出了你的風神，趣味，你的血和汗，
雖然也有乾草，蒼蠅，瓦礫，污濁和荊棘，時來摧殘，
但你可不要爲斷壁頹垣枯泉敗葉而生出悲觀。
孩子們縱然無知，但那一片的天眞卻値得讚嘆；
他們的存在儘可爲你的『園地』增加不少的渲染，
無心的蹂躪倒反是在自然中又點綴一層自然。
我們旣不怨流雲遮掩了月華，蜜蜂穿損了花瓣，

為這些嬌小的無知者為什麽一定要築起籬藩？
最可恨的倒是那『兇殘的魔掌』有如燎原的烈焰，
有如喝多了幾杯黃酒而胡亂摧損別人的衣冠，
這應該加以懲膺，絲毫也用不着慈悲，猶夷，怠慢。
兇魔不除，你要想保衞你的園地實在難之又難。

余心淸君以『園地』一詩見示，讀後草此奉答，還是一九四一年十一月七日的事。抄自日記。

第十八次「十廿三」

中國人最大的毛病，而且也最普遍，
是對於壞人和仇敵過分的寬大，
而對於好人和朋友過分的求全。
二千年來所謂「春秋責備賢者」，
把我們中國實在是害得不淺，
對於任何事體都是馬虎得可憐，
只有「君子之過如日月之蝕」，
大家都會鳴鼓而攻，鼓睛爆眼。
民國已經成立了十有三年，

遜朝的皇帝依然蟠據着，
首都的紫禁城，舊時的宮殿，
錦衣玉食維繫了小朝庭的尊嚴，
皇室優待費須得要年年貢獻，
而那些遺老遺少，拖着一條豚尾，
還在準備着愛新覺羅的復燃。
中國人度量的寬大，不僅是
肚內可以撑船，簡直是可以包天。
結果是十三年的十月二十三，
首都革命來了一次突變。
把那些牛鬼蛇神驅出了京城，
不准作福作威臨瞰着危險。

—14—

開以自新之路，使其性命苟全，——
這也就是個絕頂寬大的表現。
然而在當年是有過怎樣的批判？
大家都搖搖頭，大不謂然。
有的說是『逼宮』，是什麽人在造反，
是欺人孤兒寡婦，曹操王莽再來，
普遍的激起着嚴厲的非難。
可是我們現在又該怎樣的看？
僞『滿洲國』已經成立了整整十年，
溥儀兒皇帝被倭寇牽着線，
在那兒替倭寇做着看家的狗，
爲倭寇霸佔着我們的山川。

— 15 —

哎，中國人的毛病，我們請大家看，
是不是對敵過寬，而對友過嚴？
還有好些國賊都不免是姑息養奸，
松柏摧爲薪，野花野草都在蔓延。
今年，又迎着第十八次的『十廿三』，
這值得我們永遠作爲紀念，
然而也值得我們永遠作爲殷鑑。

（一九四二年十月十八日）

— 16 —

水牛讚

水牛，水牛，你最最可愛。
你是中國作風，中國氣派。
堅毅，雄渾，無私，
拓大，悠閒，和藹，
任是怎樣的辛勞
你都能夠忍耐，
你可頭也不抬，氣也不喘。
你角大如虹，腹大如海，
脚踏實地而神遊天外。

— 17 —

你於人有功，於物無害，
耕栽終生，還要受人宰。
筋肉肺肝供人炙脍，
皮骨蹄牙供人穿戴。
活也犧牲，死也犧牲，
絲毫也不悲哀，也不怨艾。
你這殉道者的風懷，
你這革命家的度態，
水牛，水牛，你最最可愛。

水牛，水牛，我的好朋友。
世界雖有六大洲，

— 18 —

你只有東方才有。
可是中國人，中國人，
把你看得醜陋，待你不如狗。
我眞替你不平，希望你能怒吼。
花有國花，人有國手，
你是中國國獸，獸中泰斗。
麒麟有什麼稀奇？
只是頸長，腿高而美麗。
獅子有什麼德能？
只是殘忍，自私而頑厚。
況你是名畫一幀，名詩一首，
當你背負着文章，

讓他含短笛一枝在口；
當你背負着烏鴉，
你浸在水中，上有楊柳。
水牛，水牛，我的好朋友。

— 20 —

神明時代的展開

在太古時分一切神明曾經是女性
後來轉變了一切男性都成了神明
神明時代在人類的將來須得展開
人間世中人即是神一律自由平等

只有非人的希特勒才有那樣狂妄
要一切女性俯首貼耳地回到廚房
綿延種族固然是人們重要的天職
但世間的廚司不都是戈林們在當

古代的詩人愛以琴瑟來比譬夫婦
然而實際的夫婦却只是破鑼破鼓
自尊自大的帝王根本就很少健全
過半數的人類被踐踏得如同糞土

儘管用脂粉綾羅剪飾成一朵鮮花
但這花失卻了本性只是被人玩耍
淫蕩的狂風摧殘了數千年的世界
反說是女人禍水眞可以亡國敗家

總有那一天會有眞正的琴瑟出現

— 22 —

一切都和諧美妙極樂國建在人間
再不會產生出希特勒和戈林匪徒
使人類重陷到退回向獸域的危險

爲要爭取這一天男子們須得懺悔
沒再把珈特林看成爲玩具或罪魁
把配偶看成配偶眞正的好的半邊
把母親看成母親把姊妹看成姊妹

女子們不用說也須得澈底地覺悟
數千年來的桎梏一半是咎由自取
到今天還有人專講修飾不講讀書

萬事依人毫未脫封建時代的故步

美不在乎外表而在乎內在的精神
要內部清澄有思想健康才能德行
要智情意三方都能有平衡的發展
將來的人類無分男女都成爲神明

總有那一天神明的時代終得展開
一切都新鮮甘美生動活潑而和諧
不再有權勢貪婪淫慾險惡的鬥爭
只有的是技能的競比和自由的愛

— 24 —

頌蘇聯紅軍

人類的歷史在二十五年前開始了新的篇章，
你這從戰爭的烈火中自焚而永生了的鳳凰！
你所表現着的自我犧牲的精神是至高無上，
你從個人的英雄主義長成到了羣衆的『狄唐』(Titan)。

你保衛了斯達林格勒、列寧格勒、莫斯科，
你把數十萬的納粹獸軍消滅在靜靜的頓河，
虜獲了的戰利品飛機坦克砲車無算的軍火，
還有是元帥將軍司令竟和洋山芋一樣的多。

納粹的將軍們起了突變，由猛獸變成了蝦蟆，
兩手高舉，兩脚蜷曲，兢兢着蝦蟆式的跳舞。
唱着拿破崙時代的俄國民歌幽默地令人葫蘆：
『已經有了全歐洲，爲甚麼要到俄羅斯來吃苦？』

這諷刺似乎是比『大獨裁者』的效果還要更強，
『最優秀的民族』，日耳曼人，原來也只是這樣。
三天的哀樂在德意志的領空中搖曳悲傷，
十年執政後的嗜殺狂已經是頭垂而氣喪。

這勝利是全人類的勝利，不僅僅屬于蘇聯，

— 26 —

紅軍啊，你是在替全人類爭取着自由的明天！
納粹匪徒還在企圖着困獸猶鬥的殘喘苟延，
『無條件投降』僅僅靠着空談絕對不能實現。

卡薩布蘭卡會議布署了全民主陣線的步調，
今後九個月的軍事計劃在大體上已見分曉。
要在一九四三年內先消滅納粹，再消滅東條，
歐洲第二戰場的開闢毫無疑問地必須趁早！

全世界已整個地成爲了爭生死存亡的戰場，
早已無分乎在亞細亞的西方和歐洲的東方，
要想消滅戰爭，爲今後人類的子子孫孫設想，

只有學習到你那自我犧牲的精神加以發揚。

誓把學習，響應，比賽，作為我們對於你的祝賀，
在這一九四三年內也須得解放揚子與黃河，
要在南京、上海、北平、高唱出民主勝利的凱歌，
這歌聲要傳過黃海，使太平洋永不再起風波。

人類的歷史在二十五年前開始了新的篇章，
這篇章已被你鮮紅的血液一頁一頁地寫上。
敬祝自我犧牲的精神同你的榮譽萬年無疆，
你永遠地樹立着為自由與正義而戰的榜樣。

— 28 —

和平之光

——羅曼·羅蘭輓歌——

一隻宏大的戰船停泊到了安全的海港，
狂暴的雷雨漸漸地快要鎖定的時候，
有稀微的希望底晨光，破露在那天上，
斜射着波濤還在洶湧着的血底海洋。

多麼長遠的，艱苦的，但可磊落的戰鬥呵，
你偉大的法蘭西的兒子，眞理底領港，
你爲法蘭西底再生，人類底再生，和平底再生，慷慨地，沉着地，流出了你最後的一珠血漿。

看呵，你的旗幟永遠在塔桅頂上飛揚，
你偉大的人類愛底使徒，你請安息吧，
戰船，就像蜥風的駿馬，和你生前一樣，
早又奔騰上消滅法西斯野獸的世界戰場。

啊，你聽，馬賽曲底歌聲是多麼的嘹亮！
人類在慶祝着新的勝利，新的誕生，新的成長。
你偉大的民主的戰士，羅曼羅蘭，你永生了！
你永遠是法蘭西之光，人類之光，和平之光！

— 30 —

進步讚

誰能說咱們中國沒有進步呢？
誰能說咱們中國進步得很慢？
『一二九』已經進步成爲『一二一』了，
不信，你請看，請鼓起眼睛看看。

水龍已經進步成爲了機關槍，
板刀已經進步成爲了手榴彈，
超度青年的笨拙的劊子手們
已經進步成爲了機械化的好漢。

宋哲元將軍在地下擊掌讚嘆：
『我老宋是差得多呵，我形穢自慚，
我老宋只是個割據的落後軍閥，
我那能有這樣的德國式的手腕！』

希特拉大領袖自從他戰敗以還，
他第一次才表示着會心的喜歡：
『海奕爾，康牟拉德，海奕爾，海奕爾，
國會焚燒案又有了東方的翻版！』

這就是修齊治平的模範吧，老板，

— 31 —

— 32 —

我不知道寫在大學中庸那一篇。
這就是國父遺教的奉行吧，老板，
我不知道寫在建國大綱那一段。

總之是有精微奧妙的道理的，老板，
聽說是『反對內戰就是助長內亂』，
因此上學生們就死得並不寃枉了，
中國的皮蛋還要進步成爲原子彈。

五大強之一究竟是有斤兩呵，老板，
我的眼淚也快活得向肚裏潸然。
誰能說咱們中國沒有進步呢？

誰能說咱們中國進步得很慢？

這首詩是爲紀念昆明「一二・一」慘案而作。

— 34 —

爲多災多難的人民而痛哭

我的眼淚沒有方法阻擋，
我生平從不曾遇過這樣沉痛的悲傷。
眞是無可補償的損失呵，
這樣卓越的人民戰士，青年導師，連同聰明絕頂的未來中國的嫩苗，
竟因飛機失事而集體地慘遭焚燬了。
誰個能夠不哭呢？
除掉是法西斯魔鬼，就是岩石都要掉下眼淚。
『如可贖兮，人百其身』嗎？

不，像我這樣的人，就使把我的身子化成爲一千萬：
一萬萬，
都不足以抵償他們的損失的一半。
多災多難的人民呵，這不是絕頂的災難嗎？
我經不住這萬種辛酸的衝擊，萬種悲憤的熬煎，萬種
回憶的洄漩，
我哭，我哭；我不能不爲我多災多難的人民而呑聲痛
哭。

哭若飛

若飛，你民主精神的一座堅強的堡壘！
眞沒有想出這樣活生生地便和你永別了。

— 35 —

— 36 —

我和你接觸得比較遲，算來還不足兩年，但這是怎樣
　滂薄洶駭的兩年呀！
你是一位勇毅的舵手，你突破着萬重的險難，給予了
　千千萬萬的志士們以無上的鼓勵，引示，聲援，
你是剛強，果敢，英斷，明敏的化身，
你更是沉著，周密，審愼，堅靱的具體，
你對於敵人是那樣勇猛，奮迅，毫不留情的獅子，而
　對於友人又是那樣溫厚，篤實，像孵化着雞雛的
　母雞。
我眞沒有想出就這樣活生生地和你永別了呵！
你的心中本來沒有你自己的身體：
　你因過於勞頓，右耳已和我的一樣失聰，

在離別前的兩天你還親自對我說：你失悔沒有早
聽我的忠告，戒斷香菸，但你是已經戒忌。
中國正需要你，中國人民正需要你；
你也明確地覺察到，要爲中國人民寶貴你可寶貴的身
體，
然而，在這風狂雨暴的時候，無情的偶然竟把你刼奪
去了！
我知道憎恨法西斯：沒有法西斯的搬弄，偶然也不會
那樣無情，
法西斯魔鬼們在黑暗中還發出了陰慘的笑聲：
「連陰陽晦冥，風雨雷電，都在幫我們的大忙
呵，足見我們不僅霸佔着「民意」，而且還霸佔

— 38 —

諧「天意」！」
讓魔鬼們去幸災樂禍吧！
我雖然知道他們並高興不了幾時，但在今天，我更憎
恨的是我這個自己！
若飛，你民主精神的一座堅強的堡壘！
在今天，誰能替代得了你呢？
我要發出一千萬遍的詛咒，詛咒我這個倖生者：
『郭沫若，你能兒，你爲什麼偏偏不死』！

哭博古

博古，鋼鐵一樣的人，我在你面前就和白癡一樣。
你平時沉默得如像月黑之夜的海洋，
你寡言鮮笑，你的眼睛放着深邃的光，
但你一旦言笑了，却眞是『言室滿室，言堂滿堂』，
你的笑聲有時直如亞細亞高原的風暴一樣。
在南京，在漢口，在重慶的初期，我一直都把你當成
爲嚴而可畏的人，
不僅漢奸國賊魑魅罔兩在你面前斂束，
似乎誰都感覺着你是一把脫鞘的寶劍寒光搖動羣
星。

— 40 —

五年後的重逢，你增加了温暖，
　雖然仍舊寡默，而是噴着温泉的崇山。
然而，這樣的感覺不認識那些毫無常識的糊塗蟲，
　你爲爭取人民的權利，仍然是鐵面鐵心鐵肝鐵腸
鐵手鐵腕。
博古，推動中國歷史的鐵人，你的潛能似乎才剛始發
動，
然而你竟殞滅了，
　我聽見鷓鴣的叫聲，說是『秦邦憲死於秦』，
我的心不能不爲人民而痛，爲革命的波折而吞聲。

哭希夷

— 41 —

『三軍可奪帥，匹夫不可奪志』，
希夷，這是你頂喜歡的兩句論語。
當你初任新四軍軍長的時候，我們同住在漢口大和街
你的軍部，
你曾經叫我把這兩句話，爲你寫成一幅中堂。
八年了，當你從五年零兩個月後的囚禁生活恢復了自
由的那一天晚上，
那是三月四日，我永遠不能忘記的日子，
我高興地趕到中共代表團看見了你。
你對我說的第一句話，就是：
『沫若，記得嗎？——三軍可奪帥，匹夫不可奪志。
——現在是一切都兌現了。』

— 42 —

鄧發兄在一旁抗議：

『不行，志固不可奪，帥又何可奪呢！』

然而，沒想出你今天竟眞的『在烈火與熱血中得到永生』了。

我發表了你的詩，朋友們說那竟成了你的『詩讖』，

不錯，你的詩，天天都在我的腦裏盤旋：

『爲人進出的門緊鎖着，
爲狗爬走的門敞開着，
一個聲音高叫着：爬出來呵，給爾自由！
我渴望着自由，但我也深知到人的軀體那能由
狗的洞子爬出！
我只能期待着，那一天

地下的火衝騰，把這活棺材和我一齊燒掉，
我應該在烈火和熱血中得到永生。」
我也願意發出這同樣的一個『詩讖』。
我要讓你的詩永遠在我的腦子裏盤旋，永遠，永遠，
永遠盤旋到我這一個低能的倖生者也「在烈火與熱血
中得到永生」的一天！

哭鄧發

二月中旬我們在青年館看『棠棣之花』，
我才第一次認識了你，中國工人領袖，鄧發。
我吃了一驚，我覺得你絲毫也不像工人；
你那三角形的面孔，寬闊的額部，就像德國的康德，

— 44 —

一位大思想家。

你的感觸是那樣樸實，渾厚，而毫無一絲一忽的掩飾
與矜持：

你熱情地稱讚着劇本的內容，說和莎士比不相上下。

我沒有感覺得你在誇張，因爲你是說得那樣的誠摯，
開明。

校場口事件後，你常常關心着我胸部的蹴傷，

你要我用白蘭地對牛奶以事療養。

你說，你往年從德國到蘇聯，因翻車會折斷過肋骨兩
片，

蘇聯的大夫爲你這樣調治，你用了一兩月之後居然痊
癒，至今是不痛不癢。

我雖然沒有照着你的話嘗試，但我感謝你的厚情。
我的肋骨終有折斷的一天吧，沒有白蘭地就代以燒
　酒，沒有牛奶就代以豆漿。

哭黃齊老

齊老，你的犧牲更增加我私人的沮喪，
　你是因我而死，我今生今世永不能忘。
　你是爲慰問校場口的受傷者而來，
你竟以你的生命來慰問了我和朋友們的輕傷。
特務打傷了我們，更燒死了你，
　如今特務們都陞了官了，據說那些都是『民意』。
哼，那些民意的強姦者，法西斯的徒子徒孫們，

我不相信他們比希特拉，墨索里尼還要強，
他們能拉退進化，倒轉人民的歷史。
我不願再發牢騷；我只牢記着老師的慷慨的詞調；
『民主如船，民權如水，水漲奚愁船不高？』
老師，你安息吧。
你的學生永遠不能忘記你是因爲他的受傷而死，
你的學生知道全天下的人都受了傷，他應該怎樣
來實踐你的遺志。

哭秀文姐

秀文姐，當今的『九子母』女神，
你代表了全中國受難的女性，

你也代表了全中國受難的母親。
你的悲痛慘絕人寰，我沒有方法體驗出你的苦難。
你是把全中國人的苦難都集中到了你的一身，
你是化成了灰，但我相信你那每一粒的灰中都含孕着
女性的自我犧牲與慈母的愛。
我願你的聖灰吹進全中國人的心裏，把一些死滅了的
良心，蘇活轉來！

哭揚眉

揚眉，你才十二歲，你在苦難中長成，但苦難沒有磨
損你的天真，你是聰明絕頂。
凡你爸爸媽媽的友人，誰個不說你是天才，誰個不說

— 48 —

你能幹，誰個不說你可愛可親？
你那小小的心靈，自然也種下了憎恨，你知道世間上
另有一種不是人的人，
但你在那種人中保衛了你的爸爸媽媽，更救出了你的
兩位哥哥，你的自身。
你盼望你爸爸出獄。你歡迎了爸爸，你歡迎了媽媽，
如今你又伴着了他們永生。
我彷彿看見了你的媽媽抱着你三歲的弟弟在膝上，而
你緊緊地依靠在她的身旁，
這是人民世紀的新中國的聖母像，在你們的周圍永遠
煥發着光輝燦爛的紅光。

（一九四五年四月十五日）

輓四八烈士歌

——獻給若飛，希夷，博古，鄧發，及其宅諸位烈士——

民主的浪潮高漲一丈，
法西斯的魔力高漲十丈，
我們還須要高漲百丈，千丈，萬丈。
民主的戰士們呵，崇高的榜樣，
為着爭取和平勝利飛往北方，
遇着了雨暴風狂，被迫下降。
這天大的損失呵怎樣補償？

— 50 —

滾熱的眼淚無法阻擋，
千人萬人的眼淚流成長江，
我們不僅是為死者悲傷。
看呵，滿地的荒災，漫天的大謊，
血的腥臭充塞了上下四方，
偉大的戰士們呵，你們正努力掃蕩，
你們在民主的戰線上竟集體陣亡。

這天大的損失可怎樣補償？
千人萬人的眼淚匯成了海洋。
澆不熄的烈火可燃燒着你們的胸膛，
你們的軀體化為了一片紅光，

你們如火焰天使自天而降。
宇宙的黑暗也得向你們投降，
人民的前途照耀得光明無量。

『把眼淚揩乾吧，沒再頹唐，
更加高漲着民主海洋的波浪』！
這是你們的呼聲如雷震響。

永遠領導着我們呀，火中的鳳凰，
領導着我們高漲到千丈，萬丈，萬萬丈，
我們要把法西斯魔鬼們掃數滅亡，
讓人民安樂在紅光明亮的地上！

（四月廿三日夜）

— 52 —

民主家庭

馬寅初先生之女公子仰惠小姐與
徐湯莘先生結婚，歌此稱焉。

世界是民主的大家庭，
家庭是民主的小世界。
只許民主，不許獨裁，
獨裁者必然要遭失敗！

希特拉，墨索里尼，

都已經同時下台；
往日的大爹克推多，
固一世之雄而今安在？

同聲相應，琴瑟和諧；
獨夫專横，天不共戴。
人民如水，波瀾壯哉！
巨艦艨艟，可覆可載。

夫唱婦隨，固然是應該；
婦唱夫隨，又有什麼可怪？
只要唱者高超，跟者也就愉快；

— 54 —

橫腔頂板，誰也跟不上來！

今天是民主團結的盛會，
今天是聯合政府的彩排；
不分階層，不分黨派，
就只有法西斯蒂除外。

新郎新娘，你們在傾心相愛。
老夫老妻，也都在盡量學乖。
年青的朋友們，你們莫再徘徊，
把那眞空管子兒趕緊打壞！

我要喊新郎新娘萬歲，
我要為新郎新娘乾杯。
明年今天你們倆的湯餅會，
要記着，可不要把我忘懷！

（一九四五年五月六日）

— 56 —

斷想四章

一，恐怖

十里洋場乎？
西雅圖乎？
黃浦灘的魚
變成了黃包車夫。
我感受着，雙倍的
白色恐怖。

二，騙

有這樣一匹戰馬，
馬的身，人的面。
是Centaurus嗎？
不，是美國的花邊，
到了中國來，
改名叫着『騙』。

三，慈悲

『不要任何代價，
沒有任何要求。』
眞是大慈大悲呀，
但，大嫖客已經躺下，

— 58 —

在妓女的床頭。

四，詛咒

我詛咒我自己，
因爲我是一個聾子，
是我把有聲的中國
化成了無聲的墓地。

誰說遍地都是哭聲？
誰說遍地都是怒吼？
但，在我是天下太平，
什麼聲音也沒有。

『禮魂』今譯

祭典快要告終了，
鼓聲不斷的響，
美好的少女們
傳遞着花環不斷地唱，
一面唱，一面跳舞，
其樂洋洋。
春天有蘭花，
秋天有菊花，
奉獻給我們的愛人

— 60 —

有永遠不斷的香花。

『橘頌』今譯

自然母親給我們一株好的果樹，
宅的名字就叫着橘柑，是的，橘柑。
宅誠實地生長在這南方的土地，
深深地愛好這個鄉土，不能變遷。
綠的葉，白的花，多麼的好看。

枝頭高高，刺棘尖尖，圓果團團。
外表是青黃相間，色彩斑斕，
內心是純潔無垢，聖者一般，

— 62 —

香味是那樣的馥郁，無可非難。

啊，年青的朋友，你的志向
與衆不同，和這橘柑相彷，
我喜歡你能夠獨立自主，不肯徬徨，
你也深深地愛好這個鄉土，孤芳自賞，
你能不同乎流俗，但也不流於放蕩。

我希望你不要走入歧路，保守着你的精神，
你不要存自私的念頭，要像那自然母親。
讓時辰不斷地流去吧，但我們有不變的友情，我們要不偏不倚，堅定着我們的信心。
你的年紀雖小，但可以做我的老師，
只要你能把古時候的伯夷作自己的典型。

— 64 —

陶行知先生輓歌

眞是天變地異呀，
又崩頹了一座泰山。
這是教育的災難，
　民主的災難，
　人民的災難。
我們要裂胆披肝
　不斷地向前
　補救這無窮的災難。
陶先生，你請安心吧，

— 65 —

我們要保守着你的旗幟，
不斷地向前向前。

— 66 —

祭陶行知先生

李公樸遇刺後的第十五天，
聞一多遇刺後的第十一天，
正當法西斯餘孽到了瘋狂的時候，
陶先生又匆匆地離開了人間。
單從表面看，你是中了風，不能怪誰的陰險，
但在這裏有必然的因果，決非偶然。
假使李公樸聞一多不那麼連續遭難，
你的壽命至少還可以多活十年，或十五年。
這半個月來的悲憤已經夠人熬煎，

你口誅筆伐更至深夜不眠，
你是過於緊張，而疲勞到了極點，
在這樣的情形之下，終至於腦血衝天。
陶先生，我們要使用春秋的筆法呀，
你的死是和李公樸聞一多一樣遭了暗算。
陶先生，你是時代的導師，教育的鉅子，
你爲小先生教育，社會教育，生活教育，天才教育，
前前後後奔走了三十多年，
你眞是不淄不磷，不屈不移，不厭不倦。
你平生穿得簡單，吃得簡單，住得簡單，
盡瘁鞠躬，與貧苦的青年少年打成一片。
你的辯才無礙，舌底可以生蓮，

— 68 —

你的健華如椽，詩文瀆湧醴泉，
丕士達洛奇沒有你這樣的宏闊，
義丐武訓沒有你這樣的深遠，
兩千年前的孔仲尼，兩千年後的陶行知，
你是永遠永遠地要受人紀念。
陶先生，你是人民的領袖，民主的戰士，
你爲爭取民主，爭取和平，反對獨裁，反對專制，
你經受了不斷的折磨，排擊，艱險，
你是孫中山死後的一位孫中山。
在你是教育卽政治，政治卽教育，
你只知道人民的疾苦，沒有絲毫野心奪利爭權，
然而奪利爭權者卻和你不共戴天。

世間上有這樣的流言：你在黑榜上名列第三，
如今你是爲民主而死的第三人竟遂了他們的心願，
但，普天下的青年兒女都是如喪考妣，涕泗漣漣。
要不哭，我們不能不哭。
要不喊，我們不能不喊。
不是專哭先生，而是兼哭人民。
中國的人民爲什麼這樣地多災多難？
陶先生，在這險惡的風浪裏快要破船，
又失掉了你這樣一位老練的舵手，叫人們怎樣下灘？
要不哭，我們不能不哭。
要不喊，我們不能不喊。
我們要哭喊你千聲萬聲，千遍萬遍：

— 70 —

陶先生，陶先生，陶先生，
你應該和李公樸聞一多一道再活轉來，
爲實現民主而戰，爲爭取和平而戰，爲反對內戰而戰！
我們想把眼淚揩乾，
但也沒法把眼淚揩乾，
就讓我們流着眼淚向普天下的人民呼喚：
我們要搶救中國，搶救和平，搶救教育，
就算要死它一百萬遍的死，我們也不喪胆。
我們不怕無聲手槍，我們不怕原子炸彈，
我們要追步李公樸聞一多的後塵，
我們要繼承着陶先生的遺志，
向法西斯餘孽，作毫不容情的清算。

陶先生，你永遠領導着我們，
領導着我們四萬萬五千萬的人民，
領導我們千代萬代的子子孫孫，
使我們爭取到做人的權利，
永遠地脫離專制獨裁的暴政，帝國主義的羈絆。
人民的力量是不可輕侮的地下火，
我們堅決地相信：我們人民總有翻身的一天。

一九四六年七月廿六日宣讀於上海殯儀館偉大的民主戰士教育大師陶行知先生的靈前。

— 72 —

中國人的母親

我失了魂，
太陽失了光，
我的先生死了，
我的兒子受了傷。
誰是這萬惡的兇手？
東方的無恥暴徒，
西方的無聲手鎗。
西方有民主嗎？誰講！
東方有和平嗎？荒唐！

多少的兒女不死於國戰，
而死於暗殺，
死於縲絏，
死於內戰的疆場。
我是中國人，
我是中國人的母親，
我要反抗，
我要反抗，
我要反抗，
我揩乾了眼淚，
要驅除那萬惡的豺狼！

— 71 —

「雙十」解

（一）

一對十字架
表示齊比翼坟墓。
打倒帝國主義，
打倒封建制度，
讓他倆成雙入土。
誰知已經到三十五年了，
他倆伉儷情深，
好合如故。

(二)

一對十字架
表示着雙料耶穌。
請來兩位強盜,
請來法利塞人,
讓人民加倍受苦。
埋頭再攪它三十五年吧,
中國必得解放,
總有前途。

(一九四六年十月)

— 76 —

『一二一』紀念

（一）

『一二一』，『一二一』，前有四烈士，後有二先烈，
爲人民流血，爲民主流血，爲和平流血，爲反戰流血。
血不會是白流的，血不會是白流的，血不爲白流的！
不要只看見四人倒下去了，二人倒下去了，
千百萬人倒下去了，以爲就已經消滅；
這是播下地裏的種子，一粒種子要迸發出千萬粒。
不要只看見一座城池淪陷了，兩座城池淪陷了，
多數城池淪陷了，以爲這是民主的敗績；

這是安進地裂的地雷，一顆地雷要毀滅千萬個法西斯
餘孽。

（二）

鬥爭是相當長遠。要以空間換取時間，要積小勝而為
大勝，在抗戰時聽慣了的空言，在今天需要我們實踐。
分散對方的兵力，延長對方的交通線，
避實就虛，變動不居，以面來對付線和點。
武器可靠着外來，甚至軍粮也可靠着外來，然而總不
能靠着外國人來補充兵源，
有生力量消耗到百分之五十，情形便大有可觀。
那時候或許才能有眞實的和平談判，時期看來也並不
會很遠。

姑且算它是半年，或者一年，當然是有陣痛伴隨着的生產。

產生一個兒女都還那麼艱難，要產生一個民主的中國，自然不會那麼輕便。

不要緊的，有生的痛苦正是快樂，全世界的國家都是人民構成，人民的利益大抵相同，並不分黃臉白臉；人民是站在同一戰線上的，人民在各自的國度裏都在變；

誰個不願意和平進步？誰個願意打內戰外戰？

全世界總有眞正地由人民作主的一天！

人民的威力是最強大的超原子炸彈？

（一九四六年十一月一日）

壽朱德

朱德將軍誰不曉，六十不算老，中國的大英豪，人民的小寶寶。人民愛戴你，無分老與少。老人提到朱德名，都把拇指翹，小兒提到朱德名，把哭變爲笑。八路軍、新四軍，打得日本鬼子無處逃，都是朱德將軍所領導。你的本領爲甚這樣高？我知道。你服從人民，服從主義，服從主席毛。中國人民愛戴你，你永遠不會老。

朱德將軍誰不曉，六十不稱老。獨裁尚未剷除，法西尚未打倒，人民愛戴你，能者要多勞。內奸賽過汪精衛，黑漆一團糟，外敵賽過日本鬼，裝作和事佬。僞民主，假和平，祇把無聲子彈到處拋，祇等朱德將軍來清掃。你的本領為甚這樣高？我知道。你服從人民，服從主義，服從主席毛。中國人民愛戴你，你永遠不會佬！

玉階總戎六十大慶成此俚歌二章奉賀。

（一九四六年十一月廿九日）

蝶戀花

……近日已移鄉居住，因城裏寓所被炸。計算起來，敵機對我光顧，要算是第二次了。前年在桂林的住所，全被炸毁，今次則炸得屋頂分飛。住鄉比住城閑適，三廳圖書館薄有儲藏，擬多多拿些時間來讀書，有餘暇時從事寫作。究竟還是讀書要緊，三年來實在使腦裏的田園太荒蕪了。

此間日前連日快晴，熱不可耐，頗呈旱像，昨朝大雨一番，今日復連綿竟日，農人皆大歡喜。米價雖不必銳減，但米荒可不成問題了。

杜老之夫人由潮汕步行至香港，更經越南、昆明、貴陽，於今日抵此，余昨曾草蝶戀花一詞贈之，錄出以供一笑。

萬里關河烽燧繞，胡騎雖深，勝利前途好。幾見薰風揺碧草，南來賓鴈知多少？

石化珊瑚成綠島，海底潛蛟，海上神鷹躍。鵲架星橋多一道，三塘古木逢人笑。

今三廳所在地爲三塘院子，杜老代余坐鎮其間，儼如古之山長焉。

（二九年七月一日）

滿江紅

日本瀧川龜太郎博士著「史記會注考證」一書，在彼邦詡為空前著作，然碎說雜陳，裁斷妄肆，時出剽竊，毫無發明，差可覆醬瓿耳。甯鄉魯君實先近成駁議一書，標舉七事糾斥之，曰體例未精，曰校刊未善，曰采輯未備，曰無所發明，曰立說紕謬，曰多所剽竊，曰去取不明。持論精確，切中肯綮，且於歷數考證，尤多發前人所未發。魯君與余，初無面識，遠道將其書見惠，讀之不禁狂喜。魯君之年，僅廿有六，殆奇才也。

國族將興，有多少奇才異質。縱風雨飄搖不定，文華怒茁。洹水遺龜河洛文，流沙墜簡春秋筆，看緝熙日日邁

— 84 —

乾嘉，前無匹。瀧川注，誇勞績。服鳥賦，難分析。賴發蒙千載，庚辰元歷。衡岳精靈摔奕兀，瀟湘風韻恣揚激。料方壺定感一聲雷，震遐逖。

水龍吟

沈復山先生愛石，凡遊跡所至，必拾取一二小石歸，以爲紀念。于右任先生榜其齋曰「與石居」。

商盤孔鼎無存，禹碑本是升庵造。古香已逸，豪情待冶，將何所好？踏遍天涯，漢關秦月，雪泥鴻爪。有如神志氣，長隨書劍，時騰以，一拳小。

渾似風清月皎，會心時點頭微笑。輕靈可轉，堅貞難易，良堪拜倒。砭穴支機，補天塡海，萬般都妙。看泰山成厲，再勞拾取，爲翁居料。

（八月七日）

— 86 —

燭影搖紅

「八一三」之前夜，崐崙辭兄急簡相邀。言於七時有半，謀作秉燭之聚。備廠醬涼拌麵，冰凍綠豆沙，以代茶點。藉聆藝壇雅訊，文化新猷。惜余淸晨入城，未午即返，失諸交臂，作此解以謝。

夜奉瑤緘，上書三十忙開看。霏微期過暑如蒸，空襲頻投彈。友好六鄉星散，欲趨承，樸輿苦罕。若爲今夕，幷聚珠聯，中蘇庭院？

憾我緣慳，早朝入郛移時返。空饞冰豆碧沙澄，涼麵

— 87 —

香醯拌。素稔藝壇四戰，話新猷，參商遞燦。晚風入座，
雄辯鬱筵，斜傾銀漢。

（八月十二日夜）

— 88 —

詠史

（一）雷鳴瓦釜黃鍾毀，做到黃鐘願亦償，
自有陽春飛白雪，難同下里競宮商。

（二）稜威一代明成祖，骨鯁千秋方孝孺，
縱使舌根能斷絕，依然有口在吾徒。

（三）龍逢當日亦爲逆，伍子精誠尙洶潮，
一片流雲飛過後，中天仍見月輪高。

（四）鵩鳥縱遭鳩鴟笑，鳳鸞雖死不爲鷄，
韓碑毀去韓文在，莫道樊然無是非。

題王暉棺刻畫

虎視眈眈慾逐逐，奇哉龍身而環腹；
四足箕張雙翼舒，斷尾如鞭意可贖。
高人贈我自西康，云是螭龍而無角。
博引旁徵及沈樊，說頗苦心可商榷。
圖本揭自王暉棺，位在右側至確鑿。
棺後玄鳥棺左龍，苟非山君其何屬？
自來附翼有飛虎，取與龍配故蟠攫。
雖無朱雀在前和，童子開門目有矚。
魂隨朱雀已飛翔，未偕龍虎同一壑。

寄語任君莫多疑，君之功高已絕卓。
奇蹟空前得再世；寧讓武梁擅其獨？
盼將直目照九陰，喚起風雲撼大陸。

筱莊揭將王暉棺刻畫四事，其右側一圖，細審其足部，似是虎也。前和確係一童子開門出視狀，其所以無朱雀者，乃翱翔在天也。此意深遠，成此詩以報。

松崖山市

望雲與山月新起國畫家中之翹楚也，作風堅實，不為舊法所囿，且力圖突破舊式畫材之樊籬，而側重近代民情風俗之描繪，力亦足以稱之。此圖即二君之力作，磐磐古松破石而出。足以象徵生命力之磅礡。勞勞行役咸為生活趨馳，亦頗具不屈之意。對此頗如讀杜少陵之沉痛絕作，為詩以贊之。

松崖山市圖，現實即象徵，讀之感沉痛，渾如杜少陵。
勞勞行役人，與馬苦攀登，荷擔過小橋，臨濯開崩冰。
幼女念母心，得無感淒兢？紅衣紛爛漫，醇樸意難勝。

— 92 —

古松鬱蟠蟠，破石氣隆矜，雖無參天趣，磅礴如橫肱。
生命力於此，屈服焉可能！
畫道久陵夷，山川缺生趣。揆厥所由來，殆因明失御。
人盡古衣冠，物皆唐宋制，懷古發幽情，遂蔚成風氣。
靡靡三百年，作家競逃避。春雷來天末，冬眠今破蟄。
荃雲與山月，起衰有大志，作畫貴寫真，力迫當前事。
釋道一掃空，驅人於此死，詩情轉蓬勃，秀傑難可擬。
若謂余不然，看此松崖市。

題關山月畫

其一

(一)塞上風沙極目黃，駱駝天際陣成行。
鈴聲道盡人間味，勝彼名山着佛堂。

(二)不是僧人便道人，衣冠唐宋物周秦。
四車五勺天靈蓋，辜負風雲色色新。

(三)大塊無言是我師，陸離生動孰逾之。
自從產出山人畫，祇見山人畫產兒。

(四)可笑琴師未解彈，人前爭自說無弦。
狂禪誤盡佳兒女，更誤丹青數百年。

(五)生面無須再別開，但從生處取將來。
石濤河壑何藍本，觸目人生是畫材。

(六)畫道革新當破雅，民間形式貴求眞。
境非眞處卽爲幻，俗到家時自入神。

關君山月，有志於畫道革新，側重畫材，酌挹民間生活，而一以寫生之法出之，成績斐然。近時談國畫者猶喜作狂禪超妙，實屬誤人不淺。余有感於此率成六絕，不嫌蕪褻耳。

其二

國畫之凋敝久矣，山水、人物、翎毛、花草，無一不陷入古人窠臼，而不能自拔，尤悖理者，厥爲山水畫。雖林壑水石，與今世無殊，而亭閣樓臺衣冠杖履必準古制。按厥原由，蓋因明海之際，諸大家因宗社淪亡，河山之痛，沉亙於胸，故採取逃避現實一途以爲煙幕耳。八大有題畫詩云：

郭家皴法雲頭少。董老麻皮樹上多。
世上幾人解圖畫。一峯還寫宋山河。

最足道破此中祕密，唯相沿既久，遂成積習，初意喪失，而成株守，三百年來，此道蓋幾於熄矣。近年漸有革新之議，總因成見太深，能者亦不敢遽與社會爲敵。關君山月，屢遊西北，於邊疆生活多所研究，純以寫生之法出之，力破陋習，國畫之曙光，吾於此焉見之。

— 96 —

題南天竹

其一

原甘蔗壁四蕭然，突見南天一簇鮮。
翠鳥依依殊可憐，臨危欲墜立其巔。
南天之子不可餐，汝殆愛美驚其嫣。
畫者東倭觀齋氏，贈余者誰鄗其山。
兩國烽煙亙八年，何幸人情仍是田。
魯翁已逝達夫死，相對不覺兩淚泫。
遺言補壁猶尚可，此畫來自江戶川。
我亦有家江戶邊，木蓮金桂碧聯娟。

欲飛無翼渡無船，網羅八面火連天。
析骸易子遍地傳，但居域外亦平安，
待余重創桃花源。

鄔其山氏見余四壁蕭然，以南天竹一幅爲贈。畫雖尋常，厚情可感。略嫌白地太多，因題此詩以補之。畫者倘若預知此事而爲余留餘地者，亦覺頗有意思。

其二

天寒地凍衆草灸，南天一株怡然赤。
有鳥有烏來相宅，接首傾心情脈脈。
陽春有脚猶踟躕，相忘誓死不宅適。

題前詩後，減一日，覺此上端空白亦太多，更就壁上題此數語。

（卅五年十一月卅日晨）

董老行

——必武兄長六十，率贈俚句六十。——

董老董老何曾老？滿帆風力十分飽。
矍鑠精神尚少年，昂藏氣宇尤壯佼。
革新大業荷雙肩，餘力爲詩每精巧。
至公至正謝私勞，海內海外皆道好。
方今民主潮正高，憲政促成賴有造。
歷史能誇五千年，誰言民稚時尚早？
學游當在水中游，學跑當在路中跑。
試問誰是生而知，難道中華遜三島？

—100—

三島維新先立憲，憲法雖已成廢草，
共和肇造三十三，空有其名尚襁褓。
自來有土此有民，民爲邦本誰不曉？
如將本末倒置之，乃是古今之霸道。
當年孔孟不謂然，今日盟邦常詬誚。
大車易轍正當塗，四萬萬人咸慶禱。
日中必熭操刀割，時不可失爭分秒。
以衆智智衆力勇，憂樂共分庸不擾。
心各開誠道布公，同其取大異舍小。
內紛賴此可消泯，外寇賴此期蕩掃。
興國賴此得建立，新民賴此解鐐銬。
鏡清無事美惡分，衡正自然輕重了，

皆知銜鏡不可搖，法定何來狡者矯？
老兄風格古之人，侃侃而談殊表表。
我拜昌言心自傾，人謂異端頭每掉。
掉頭仍是訓諄諄，耐性難教聽藐藐。
太華不動氣巍峨，滄海能容神浩淼。
我縱友盡天下人，磊落如兄世所少。
傳食共分秦侯瓜，延年自有安期棗。
昇恒已迫史羅邱，功業當同房虛昴。
久將生死獻人羣，喪元溝壑豈能撓？
老兄六十已非夭，年年今日南星皎。

昨得梓年來示，言董老臘將六十，擬徵友好詩文以爲紀念。一時興至，卒成此章，讀來亦覺頗有意思，謹以錄示梓年，轉呈董老。

沁園春（用毛潤之韻）

其一

國步艱難，寒暑相推，風雨所羈。念九夷入寇，神州鼎沸；八年抗戰，血淚天滔。遍野哀鴻，排空鳴鷴，海樣仇深日樣高。和平到，望肅清敵偽，除解苛嬈。

西方彼美多嬌，振千仞金衣褒細腰。把殘鋼廢鐵，前輸外寇，飛機大砲，後引中騷。一手遮天，神聖付託，欲把生民力盡雕。堪笑甚，學狙公芧賦，四暮三朝。

其二

說甚帝王，道甚英雄，皮相輕飄。看古今成敗，片言獄折；恭寬信敏，无器民滔。豈等沛風？還殊易水，氣度雍容格調高。開生面，是堂堂大雅，謝絕妖嬈。

傳聲鸚鵡翻嬌，又款擺揚州閑話腰。說紅船滿載，王師大捷；黃巾再起，蛾賊羣騷。嘆爾能言，不離飛鳥，朽木之材未可雕。何足道！縱漫天迷霧，無損晴朝。

祭昆明四烈士文

中華民國三十四年十二月九日，陪都各界人士謹於重慶長安寺內，爲昆明「一二一」慘案死難諸烈士設靈而遥祭，悲憤塡膺，欲哭無淚，生命不恤，何有於文？爰共呼號曰：

抗戰八年，民生凋喪，倖獲勝利，勉躋五強。
努力建設，猶嫌汲長；忽爾暴慢，兄弟鬩牆。
舉國鼎沸，人心煌煌，反對內戰，誰曰不當。
乃有佞人，別具肝腸，屠民以逞，彈壓是倡。
全月一日，在彼南疆，甘爲禍首，血染庠序。

— 106 —

誣我學友，爲匪爲狂，大張撻伐，榴彈機槍。
忝爲軍人，辱沒戎行，忝爲政長，敗亂紀綱。
此而可忍，生民何障？此而不罰，國家將亡！
四大自由，原則煌煌，人民世紀，安容虎狼？
公等前驅，爲民榜樣，誓步後塵，戢彼披猖。
蘯爾威武，直等蚊虻，拯溺救火，何畏死傷。
全民奮起，共樹典常。魂其有靈，來格來饗！

司派狂

四五年前聞有誤入司派國中而致神經錯亂者，曾爲此詩以志之，人孰無良，烏可不返？（三十五年三月）

咳言勝利在精神，物質雖殘神健在。
沉哉汝輩罪孽深，重磅炸彈亦難碎。
四年苦戰金甌破，骨成泰岱血江河。
汝輩首鼠仍兩端，夢中日日望平和。
友敵不分淆黑白，自剖肝肺事揍磨。
明時倭寇首披猖，三分亞倭七鬼倀。

— 108 —

何今假倭亦比比，北有二王南有汪。
嗜殺成性踰貙虎，專以青年之血媚魔王。
汝輩多術鬼氣森，殺人先輒殺其心。
誘以金錢賄以祿，遂令渾噩成僉壬。
先喪己身後賣友，處心之毒毒於鴆。
近聞時有司派狂，若輩精神已反常。
初本無心作順民，不辭跋涉廿流亡。
流亡萬里至宅鄉，寒時無衣飢無糧。
同是中華好兒女，誰寧餓莩倒路旁？
皇皇佈告見報端，僥倖闖關訓練班。
待遇優渥試簡易，且欣報國得其闢。
入學之後始得知，始知所學匪所思。

受訓攸攸三兩月，造成一部殺人機。
欲殺遂所願，不殺己身危。
斯須呈慍色，立地化爲屍。
勞動集中尙有營，夜半時聞慘哭聲。
奇刑異罰出意表，夜叉羅刹活現形。
刑之不足繼以屠，活埋焚殺不忍睹，
所殺多爲青少年，誰無兄弟無父母？
試問所犯究何科，祇因努力專抗虜。
自分良心未盡喪，安能對此不痛楚。
夜不能眠偷揾淚，淚濕枕邊還入睡。
忽見血海湧波瀾，使人魂怖而心悸。
海中有聲作大呼：

—110—

『司派司派汝非夫！心術敗壞悔也無』？
嗚呼，悔之已晚可奈何，己身亦自在籠羅。
物質未殘神已毀，吁嗟乎，假倭之害酷於倭！

祭李聞

中華民國三十有五年，十月四日，上海各界人士，爲李公樸聞一多二公，呼籲和平民主而遇刺，特召集大會追悼，而祭之以文。

其文曰：

天不能死，地不能埋，嗚呼二公，濁世何能污哉！爲呼籲和平民主而死，雖死猶生。與兩儀兮鼎立，如日月之哉明。刺林肯者使天下人皆知有林肯，刺教仁者使天下人皆知有教仁。無聲子彈，雖能毀滅二公之軀體，而千秋萬世，永不磨滅者，乃我二公爲人民作前驅之精神。

嗚呼二公！中國之道，過尙中庸，二千年來，鄉愿成風。全軀者號爲『明哲』，守壘者謂之『從容』。人皆獨善，而任横逆暴戾，指使發縱。君子玄鶴，小人沙蟲。昊天夢夢，鬼影幢幢。歷史正悲寂寞，久矣乎不見殉道者之遺蹤。嗚呼二公，今見我二公之壯烈，足使頑廉懦立，發瞶振聾。聞獅子之怒吼，拜大無畏之雄風。莽彼河山，因突兀而增色，嗟我民獻，感無上之崇隆。

嗚呼二公！二公所爭，乃人民之解放。二公所望，乃國族之平康。生死以之，正正堂堂。浩氣長存乎宇宙，義聲遠播於重洋。袞起八代，永祀流芳。我輩後死，其敢徬徨？誓當泯黨爭而民主，代乖異以慈祥，化干戈爲玉帛，作蔭美之橋梁。俾三民主義及早實施於當代，而使我中華民國允克臻乎自由，平等，富強。於斯時也，我二公之巍峨銅像，將普建於通都大邑，四表八荒；而我二公之流風遺韻，更將使千百萬後代子孫，低昂起舞，如醉如狂。

嗚呼二公！前途洋洋，榮光在望。英靈永在，來格來嘗。尙饗。

—114—

送茅盾赴蘇聯

月之五日，茅盾偕其夫人同乘斯摩爾尼號赴海參歲，作蘇聯之遊。余曾登輪送別，倉卒得句，意不甚洽，今足成此律。

（十二月二十一日）

以文會友御長風　祖國靈魂待鑄中
石取他山攻玉錯　政由俗革貴農工
北辰歷歷群星拱　羅馬條條大路通
海逕天池南徙日　九州當已慶攸同

「十月」感懷詩

嘵嘵戰販祇徒勞，原子金元且莫驕。
壘壁授首希焚死，正待諸公入地牢。

闢地開天轉大輪，爲新宇宙作新人。
死刑廢止空千古，一片仁聲萬類春。

新新世紀慶開篇，革命功成三十年。
克里牟林宮上塔，紅星想必特光妍。

—116—

我昔曾遊莫斯科，菩提樹底弄經䋁。
紅場今日知如海，萬口齊聲唱頌歌。

（一九四七年十一月七日）

海上看日出

倍添雖闇夜將明，曠野飛傳赤羽聲。
血浣雲霞連海岱，宏濤滌盪地天平。

—118—

再用魯迅韻書懷

一九四七年十一月十三日，離滬之前夕作。

成仁有志此其時，効死猶欣鬢未絲。
五十六年餘骸骨，八千里路赴重旗。
謳歌土地翻身日，創造工農革命詩。
北極不移先導在，長風浩蕩送征衣。

戰聲集

— 2 —

們

們！

中國話中有著你的存在，

我和瞥見了眞理一樣高興。

元人的雜劇中把你寫作『每』，

你的出現大約就從這時候起頭，

但你在文言中是遭了排斥的，

文人的筆下跋扈着『等』，『輩』，『之類』，『之流』。

大衆在口頭雖然也很和你親近，

但於你的存在卻沒感覺着啓迪的淸新。

— 1 —

— 2 —

我自己的悟性也未免麻木不仁；
我和你相熟了四十多年，
眞正的相識才開始在一九三六年『九一八』的今天！

們喲，我親愛的們！
你是何等堅實的集體力量的象徵，
你的宏朗的聲音之收鼻而又閉唇。
你鼓盪着無限的潛沉的力量，
像灼熱的融崖在我的胸中將要爆噴。
你現今已有一套西式的新裝，
這新裝於你眞是百波羅地合身。

哦！

Mn—!
Mn—!
Mn—!
Mn—!

你可不是MARX和LENIN的合體?
你可不是MICHELANGELO與BEETHOVEN 的和親?
你是『阿爾法』和『哦美伽』,
你是序言與結論。

你在感性上的荷電,智性上的射能,
是多麽豐富而有力的喲,
你這簡單的超覺術的——咒文!

— 3 —

—4—

當我感覺着孤獨的時候，
我只要把你，和我或我的親近者，結在一道；
在我的腦中迴環得這樣的幾聲：
我們，咱們弟兄們，同志們，年青的朋友們……
我便勇氣百倍，筆陣可以橫掃千人。
當我感覺着敵愾的時候，
一切憎恨者的存在湧到我的眼前，
走狗，漢奸，劊子手，喪心病狂的文化摧殘者，和平破壞者……
這些都聯結成一道戰綫；
我悲憤着你這時是受了這些儕輩的強姦。

這悲憤的力，你給與了我，
是使我加倍地努力的源泉。

哦，們喲，我親愛的們！
中國話中有着你的存在，
我眞眞是和嘗見了眞理一樣的高興。
我要永遠和你結合着，融化着，
不讓我這個我可有單獨的一天。
我也希望着那些可憎恨的存在，
不久便要失掉那強迫你的機緣。

（一九三六年九月十八日）

— 6 —

詩歌國防

一

詩歌本來是藝術的精華，
他有音樂的渾含，造形美術的刻畫，
任何藝術的成分，——他都可以包括它。

小說和戲劇中如沒有詩，
等於是啤酒和荷蘭水走掉了氣，
等於是沒有靈魂的木乃伊。

然而詩詞也自有他的靈魂，
那便是語言的節奏，情緒的播音，
節奏可有緩有急，無節奏便無心聲。

節奏的成分歸根只有兩樣，
或是先揚而後抑，或是先抑而後揚，
前者使人消沉，後者使人激昂。

譬如催睡的兒歌，古寺的暮鐘，
都是發聲揚而收聲幽抑朦朧，
把人引到的境地，是睡眠，是渺茫，是空。

—8—

宗教的頌歌愛採取這種音調，
因爲它能幫助雅片的麻醉，幫助教條，
正義如入了睡眠，吸血者自然更好。

但我們所歡迎的寧是澎湃的海潮，
它從海心捲來，聲音是由低而高而更高，
奮迅地打上岸頭，令你腕鳴而血跳。

二

我們的民族需要的是覺醒不是睡眠，
催眠歌的音調應該暫時放在一邊，
讓它在幼兒的搖籃旁陪着母親做針綫。

我們的民族在異族統制下睡了三百年，
睡眠的重量依然還沒有脫盡我們的眼，
我們的身上又受遍了帝國主義的萬箭。

多打幾下嗎啡針也可暫時安然，
然而民族的命脈將要永遠淪陷，
滅種滅族將如美洲的馬雅人一般。

馬雅人在美洲曾經有高度的文明，
不知是幾時殲滅得毫無踪影，
只在些殘碑斷碣上剩着不可解的奇文。

— 10 —

我們這民族如是比馬雅人還要劣等
那就讓他死盡也無多大的重輕，
然而這民族卻是世界上的選民。

這民族已有四千年的文明的歷史，
他能創造文明不亞於希臘與埃及，
只可惜最後的封建階段未能揚棄。

這揚棄的拖延招致了他的落後，
卅年來他已逐漸覺醒在驅逐他的寇讎，
如今他要在最前綫和猛惡的帝國主義決鬥。

三

帝國主義在和我們爭賭生死存亡，
我們的復興是帝國主義的送葬，
帝國主義怕的是四萬萬人的全體武裝。

帝國主義在這兒運用他的陰謀，
他於化學兵器之外還使用着內攻，
他由民族中造出漢奸來發生出魚爛作用。

這作用有種種不同的步趨，
或用大刀斫殺，或用白丸麻醉，
復古，存文，『王道樂土』，都是這一類。

— 12 —

我們就這樣膏血被人搾取，肝肺被人挖，
四肢五體日日在被人凌遲碎剮，
最後的裁判已經逼到了我們的眼下。

我們要鼓動起民族解放的怒潮，
我們要吹奏起誅鋤漢奸的軍號，
我們要把全民衆喚到國防前綫把帝國主義打倒。

我們的國防同時是對於文化的保衛，
我們要在萬刼不返的破滅之前救起人類，
我們民族的復興是世界文化向更高一個階段的突飛。

— 13 —

現在是民族復興的時候，也是詩歌復興的時候，
復興起這藝術的靈魂使小說和戲劇中都要有酒，
喚醒起全民衆趨向最後的決鬥！趨向最後的決鬥！

（一九三六年十一月十一日）

— 14 —

瘋狗禮讚

有人說我的詩是瘋狗，
我覺得這眞是知己之言：
因爲一切的詩比如是狗，
我的自然也具有狗臉，

有的狗是特里爾變種，
抱在太太懷裏小巧玲瓏。
投個餑餑教它打個覲覲，
你教它什麼它都能懂。

有的是都伯曼芬顯爾，
牠是專門養來以備軍用。
最無情的是那兇猛的牙，
可以咬破戰士的喉嚨。

有的是細腰的格勒洪，
呈示着希臘的雕刻風貌。
牠足長身輕最善於馳騁，
博徒們使用牠來賽跑。

此外的種類自然繁多，

— 16 —

或以獵或以牧或以守家，
或傳書或馱物或演猴戲，
或在實驗室過送生涯。

然而在它們有個通性，
便是忠誠於自己的主人，
而且是善於嫌貧而媚富，
更高興有個骨頭來啃。

獨於是瘋了的狗東西，
它是解放了一切的狗性，
它的眼中不再有何貴賤，

不再有何奴才與主人。

主人不比奴才多隻脚，
王姬不比丐女多隻眼睛。
它不稀罕你的任何骨頭，
不稀罕你的任何餅餅。

它只是埋着頭，挾着尾，
拖着血樣的鮮紅的舌頭，
它不左顧不右盼而只是
一直綫的地向前竄走。

— 18 —

雖然死是逼在了面前，
它向自己的狗性復了仇。
任何人要擋着它的行程，
它都要把他死咬一口。

它把恐水病傳到你身，
不問是人是狗都是一樣，
你終會跟着它發起瘋來，
把自己的奴才性解放。

（一九三六年十一月十一日）

紀念高爾基

一

今天，太陽要皆既蝕，
今晨在絲雨中接到了高爾基的死耗。
我們的革命文學之父高爾基，
昨天十八日午後在莫斯科長逝了。
太陽之所以罩上黑紗，我才知道，
是要代表着全宇宙為我們的巨人弔孝。

（六月十九日）

二

— 20 —

太陽早又把黑紗去了，
依然在向着我們微笑。
我在他那普被的不息的和惠的光輝中，
又感覺着了高爾基的永遠不滅的容貌。
我們是以文字為鐵槌，以言語為鐮刀，
我們應該學習着高爾基，繼承着高爾基，
用我們的血，力，生命，來繼續鑄造。
『把你所做就的靴子，椅子，書本子，
不要造成偶像——這是很好的教條——』
朋友，我們要遵守着這個教條，
把高爾基六十八年的工程承繼起來，
這才是紀念我們的巨人唯一的正道。

（六月二十二日夜）

給CF
——『豖蹄』獻詩——

這半打豖蹄
獻給一西螞蟻

在好些勇士
正熱心地
吶喊而又搖旗
把他們自己
塑成爲雪羅漢的

— 22 —

春季

那些螞蟻
和着一大群螞蟻
在綿邈的沙漠
無聲無息
砌壘
AIPOTU

（一九三六年五月二十三日）

悼聶耳

雪萊昔溺死於南歐，
　聶耳今溺死於東島；
同一是民衆的天才，
　讓我輩在天涯同弔！

大衆都愛你的新聲，
　大衆正賴你去喚醒；
問海神你如何不淑，
　爲我輩奪去了斯人！

— 24 —

聶耳啊我們的樂手，
你永在大衆中高奏；
我們在戰取着明天，
作爲你音樂的報酬！

給澎澎

澎澎，你這一九三六年的詩草，
我已經一口氣替你唸盡。
你這是四萬萬五千萬人的心聲，
是一九三六年的正確的指令。
你毫無修飾，純任赤誠，
但你的韻律却有鋼鐵的錚錚。
我知道你做過勤務卒，當過兵，
打過仗，殺過敵，踏破過南嶺和長城；
你的智識慫旋把你逼來日本，

— 26 —

你又做過傭工，種過地，挑過糞，
而今在幫助朋友做着配報的工程。
你是，我們東方的惠特曼，
你的人便是詩，詩便是人。
要有你這樣堅忍不拔的精神，
才能有這樣眞切動人的詩韻。
我的心在跳躍，血在沸騰；
我感受着了十年以來所未有的歡欣，
就如駕了一架飛機，
我衝破萬層的重圍已向戰綫前進。
你努力吧，努力吧，努力吧，
東方的惠特曼喲，澎湃，

普羅列塔的詩的殿堂將由你的手中建起，
你努力吧，努力吧，努力吧，澎湃。

（一九三六年三月九日）

— 28 —

前奏曲

全民抗戰的炮聲響了，
我們要放聲高歌，
我們的歌聲要高過
敵人射出的高射炮。

最後的勝利是屬於我們，
我們再沒有顧慮，逡巡，
要在飛機炸彈之下
爭取民族獨立的光榮。

全民抗戰的炮聲響了，
我們要放聲高歌，
我們的歌聲要高過
敵人射出的高射炮。

— 30 —

中國婦女抗敵歌

上前綫，
上前綫，
帶着我們的針，
帶着我們的線，
爲前敵將士，
縫衣千萬件。
使他們無勞後顧，
把戰壕化成樂園。
站起來，

站起來，
戰到最後的一天，
守到最後的一天！

上前綫，
上前綫；
我們也能提鎗，
我們也能仗劍。
困獸猶能鬥，
何況呈人面。
中華民族的死生，
担負在我們雙肩。

— 32 —

— 32 —

站起來，
站起來，
戰到最後的一天，
守到最後的一天。

上前綫，
上前綫，
已到生死關頭，
已到存亡界綫，
玉碎未必碎，
瓦全何嘗全？
祖國縱使成焦土，

留得精神能再建

站起來，

站起來，

戰到最後的一天，

守到最後的一天！

— 34 —

民族復興的喜炮

上海的空中又聽到了大炮的轟鳴，
這是喜炮，慶祝我們民族的復興。
這表示着了我們全民抗戰的決心，
同時也預告着了我們民族的戰勝，
我們到這最後關頭只要有這決心，
最後的勝利終歸是屬於我們。
我們的民族本來是酷愛和平，
我們的民族本來是並不好勇鬥很，
然而我們是[illegible]逼得沒有生路可尋，

我們是被逼得忍無可忍，
我們是被逼得只能在死裏求生，
在飛機大炮的轟炸之下和敵人拚命。
我們明知我們的武器不如敵人，
我們明知我們的準備並不齊整，
然而我們只能死裏求生，
要用我們的鮮血爭同我們獨立的光榮。
我們民衆是衆志成城，
我們的將士是一德一心，
這民意，這士氣，是我們的劍，我們的盾，
這爲敵人的飛機大炮所炸毀不盡。
我們不怕綠氣，不怕細菌，

— 36 —

我們四萬萬五千萬人的生命，
是國亡與亡，國存與存。
敵人能殲滅我們，我們決不相信。
上海的空中又聽到了大炮轟鳴，
這是喜炮，是慶祝我們民族的復興。

（八月二十日晨）

抗戰頌

聽見上海空中的炮聲，
我自己祇有歡喜。
我覺得這是我們民族復興的喜炮，
我們民族有了決心要抗敵到底。

我們的武器或許不如敵人，
但我們的民氣和士氣要超過敵人無數倍，
我們並不怕綠氣，不怕細菌，
我們要以肉彈來把敵人摧毀。

— 38 —

同胞們，我們大家振作起來，
一點也不要失望，不要驚惶，
我們要抗戰十年，八年，
抗戰到日本帝國主義的滅亡。

最後的勝利是屬於我們的，
同胞們，我們放聲高呼：
高呼我們中華民族的復興，
高呼我們民族鬥士的英武。

（八月二十一日晨）

戰聲

戰聲緊張時大家都覺得快心，
戰聲弛緩時大家都覺得消沈。

戰聲的一弛一張關於民族的運命，
我們到底是要作奴隸，還是依然主人？

站起來呵，沒再存萬分之一的僥倖，
委曲求全的苟活決不是眞正的生。

— 10 —

追求和平，本來是我們民族的天性，

然而和平的母體呢，朋友，卻是戰聲。

（八月二十日晨）

血肉的長城

愛國是國民人人所應有的責任，
人人都應該竭盡自己的精誠。
更何況國家臨到了危急存亡時分。

我們的國家目前遇着了橫暴的強寇，
接連地吞蝕了我們的冀北，熱河，滿洲，
我們不把全部的失地收回，誓不罷手。

有人嘲笑我們是以戎克和鐵艦敵對，

— 42 —

然而我們的戎克是充滿着士氣魚雷，
我們要把敵人的艦隊全盤炸毀。

有人患了恐日病，以為日寇太強，
我們的軍備無論如何是比宅不上，
然而淞滬抗戰的結果請看怎樣？

我們並不怯懦，也並不想驕矜，
然而我們相信，我們終要戰勝敵人，
我們要以血以肉新築一座萬里長城！

（八月二十二夜）

『鐵的處女』

中世紀的歐洲有過『鐵的處女』，
她本來是一種極殘酷的刑具。
外貌呈着個聖母樣的姑娘，
內容其實就只是一種的『釘箱』

聖母樣的姑娘是那釘箱的門，
門背後當心處有一顆長釘，
行刑者讓你進箱把門掩上，
那顆長釘便刺穿你的胸膛。

— 44 —

日本人在滿洲又有種新的發明，
在一個圓箱的內壁全錠有尖釘，
把人赤身地裝進箱封閉兩端，
放在路頭讓行路者任意推轉。

這刑具雖然沒有聖母般的慈容，
但充分地具備着『處女』樣的鐵胸。
據說日本人是命名之爲『釘箱』，
日本人喲，你們眞正是善於摹倣。

（八月卅一日）

只有靠着實驗

有一天晚上我在江海關講演，
有位朋友質問到抗戰的期間，
他說，有人說，我們只須抗戰半年，
日本的經濟機構便要全盤破產。
這個估計是否正確的答案？

我的回答覺得是十分高妙，
因爲是信口說出而說得恰好。
我說，我是科學家，不會預言，

— 46 —

或許半年不夠，或許不夠半年，
要想得到結論，只有靠着實驗。

（九月四日）

相見不遠

『九一八』已經滿了六週年，
我們把這血的記憶重温一遍。
但今年的重憶卻比往年不同，
因爲是已經發動了全面抗戰。

我們要浴血抗戰收復幽燕，
如不痛飲黃龍，便身入九泉。
遼瀋的同胞喲，無論生者死者，
我們相見的時期已經不遠。

（九月四日）

— 48 —

所應當關心的

前綫的旅進旅退是戰略上所必有的事情，
在未參加作戰的羣衆倒可以不必過於關心，
所應當關心的是抗戰到底的決心究竟有沒有十成。
據我所知道，我們軍事上的領袖和一切的將領，
他們的持久抗戰的決心都十二萬分地堅定，
他們是要『屢敗屢戰』剩到最後的一個士兵，
剩到最後的一珠血都要爭取民族解放的光榮。
我們有這樣的領袖，這樣的將領，這樣的士兵，
我們沒愁我們的戰不能持久，不能制勝，

問題倒應該是懸在做後衛工作的我們，
我們是前敵的後衛，前敵的補充兵，
我們有擁護政府抗戰到底的責任。
我們應該要拿出自己的錢，力，和學問，
完成我們這次的神聖的立體的全面戰爭，
我們不僅是口頭說說，而且要切實地實行。
說而不行，那欺騙等於是漢奸的行徑，
行而不說，那誠摯纔可以算得眞正的國民。
我們要苦行苦幹，能夠忍受一切的犧牲，
能那樣，最後的勝利一定屬於我們。

（九月十七日）

— 50 —

人類進化的驛程

畫一個十字，再畫一個十字，
今天是我們中華民族積極前進的象徵。
我們已經畫到了二十六個雙十，
我們的積極前進只有永遠地加增。
我們只要積極奮勉，永遠前進，
我們的國族決不會受異族的憑陵。
今年的今日我們正發動神聖的抗敵戰爭，
明年或後年的今日或已把倭寇蕩平。
畫一個十字，再畫一個十字，

這約束，我可以用血液和生命來保證。

畫一個十字，再畫一個十字，
從今天起我們要加緊檢閱自己的行徑。
我們全國上下是否眞正地一德一心？
在下的是否有擁護政府抗戰到底的熱誠，
在上的是否大公無私不怕我們老百姓？
我們的軍事是否已經部署得嚴整公平，
我們的政治是否已經和軍事行動扣緊？
這是爲我們全國族爭生死存亡的事情，
畫一個十字，再畫一個十字，
精誠團結的神聖誓約要虔誠地凜遵。

— 52 —

畫一個十字，再畫一個十字，
漢奸遍地使我們前敵將士寒心。
但這樣漢奸之多正是一個教訓，
是說制裁漢奸的民主機構掃蕩無存，
工農生活的最低保障化為了泡影。
聰明的資產家們也委實過於聰明，
乘着抗戰的開始便窖藏資本，
成千成萬的失業者無人過問。
畫一個十字，再畫一個十字，
我們誠懇地希望着大開民衆解放之門。

畫一個十字，再畫一個十字，
（眼淚已經蒙着了我自己的眼睛）。
我們固須得少樹仇敵，多求友人，
然而友人之中也自有親疏的階等。
五萬個口惠而實不至的泛交，
抵不過一個同生死共患難的知心。
這樣金石之交我們是否已經締訂？
我們不好太愛脂粉，只想做八面美人。
畫一個十字，再畫一個十字，
我們的國交應該有獨立自主的精神。
畫一個十字，再畫一個十字。

— 54 —

今天是我們中華民族積極前進的象徵，
我們要把一切猜疑，欺詐，萎靡，逡巡，
怕死，愛錢的惡德，私心，通同付諸火燼。
人生七十古來稀，但國族是有永遠的生命，
億萬斯年，我們要求永遠畫着十字進行。
我們要保衛祖國並保衛世界的和平，
我們要光明磊落地站在文化的前頭導引。
畫一個十字，再畫一個十字，
我們要使這個紀念成爲人類進化的驛程。

（十月五日）

唯最怯懦者爲最殘忍

「我們的飛機來了！」

朋友叫我到涼臺上去看，

我心裹生出了無限的喜歡：

因爲我剛才看見有三隻敵機，

在低空飛翔得眞是悠然，

漫無目標地隨便投下炸彈。

炸彈所投下的總是中國地方，

所炸中的總是中國的人民，

敵人用不着再費偵察的苦心。

—56—

絲毫的危險也輪不及他們，
他們大可以顯出『英雄』的本領。
好在『英雄』的身上有的是千人針，
更有觀音符咒也可以顯靈；
我們倒因而得到了一個金言：
世間上最怯懦者為最殘忍。
高射炮的聲音響澈了雲霄，
的確是我們的飛機已經飛到。
我看了一下我自己的手錶：
時候是午後三點半不到。
三隻敵機不知逃向何處去了。

（十月五日）

題廖仲愷先生遺容

一九三七年八月一日，余單身由日本回國後之第六日也。夜深獨坐，瞻仰　廖仲愷先生遺容，不覺淚下，爰草此數語以志感觸。

這樣精銳，沉毅，英敏的遺容，
嗚呼仲愷先生，你誠然是精神不死。
你所手定的三大政策：聯俄，容共，扶助農工，
這都是中國革命幷世界革命的根底。
奈何慘遭毒彈使我們早失指針，
奈何隨先生之歿而三策亦殉葬矣。

— 58 —

如今狂寇日逼，平津陷沒，人民塗炭，
敬對先生遺容自不覺淚之盈眥。
嗚呼先生，你是忠於革命者的典型，
我們要追蹤你的血跡前仆而後起。

（八月一日夜）

歸國雜吟

一

廿四傳花信
有鳥志喬遷
緩急勞斟酌
安危費斡旋
託身期泰岱
翹首望堯天
此意輕鷹鷂
羣雛劇可憐

二

又當投筆請纓時
別婦拋雛斷藕絲
去國十年餘淚血
登舟三宿見旌旗
欣將殘骨埋諸夏
哭吐精誠賦此詩
四萬萬人齊蹈厲
同心同德一戎衣

三

此來拚得全家哭
今往還將遍地哀

四十六年餘一死
鴻毛泰岱早安排

四

十年退伍一殘兵
今日歸來入陣營
北地已聞新鬼哭
南街猶聽舊京聲
金臺寂寞思廉頗
故國蒼茫走屈平
挈眷舉家何處往
蚩蚩嘆爾衆編氓

五

-- 61 --

— 62 ---

悲歌燕趙已消沉
淪落何須計淺深
到底可憐陳叔寶
南冠贏得沒肝心

六

雷霆轟炸後
睡起意謙冲
庭草搖風綠
埠花映日紅。
江山無限好
戎馬萬夫雄
國運昇恆際

清明在此躬

七

炸裂橫空走迅霆
春申江上血風腥
青晨我自向天祝
成得炮灰恨始輕

歸國前後陷興感奮，曾作舊詩若干首。杏邨有嗜痂之癖，爰書付之。廿六年十月廿四日晨，由前線訪伯陵歸來，興致尚佳。

蜩螗集

（附：戰聲集）

著者　郭沫若
發行人　吉少甫
刊行期　三十七年九月
基本定價　國幣七元
印刷者　國光印書局
總經售　羣海圖書發行所　上海武昌路四七六號

刊行者：羣益出版社

全(A—5—5)1(0001—1500)[illegible](1655)